LE PETIT MATIN

DU MÊME AUTEUR

L'ALOUETTE AU MIROIR, *roman* (Plon).
LA MANDARINE, *roman* (Plon).
LA TÊTE EN FLEURS, *roman* (Plon).
LA GLACE A L'ANANAS, *roman* (Plon).
LES SULTANS, *roman* (Grasset).

En préparation :
FLEUR D'AGONIE, *roman*.

CHRISTINE DE RIVOYRE

LE PETIT MATIN

roman

ÉDITIONS BERNARD GRASSET
61, rue des Saints-Pères
PARIS, VIe

IL A ÉTÉ TIRÉ DE CET OUVRAGE
50 EXEMPLAIRES SUR VÉLIN
PUR FIL NUMÉROTÉS 1 A 50, ET
14 HORS-COMMERCE, NUMÉROTÉS
HC I A HC XIV, CONSTITUANT
L'ÉDITION ORIGINALE.

A ma mère.

...comprendre qu'il n'y a que deux espèces d'êtres humains : ceux qui ont tué et ceux qui n'ont pas tué.

COLETTE,
Le Pur et l'Impur.

C'est peut-être de ça que Dieu est mort, d'avoir trop aimé et surtout d'avoir aimé quelqu'un qu'il n'aurait même jamais dû connaître, et c'est de cet amour-là que tout est né, et c'est pourquoi le monde est maudit.

Alexandre KALDA,
Le Désir.

NOVEMBRE 1941 — AOUT 1942

I

Dans le petit matin, le cavalier. Immobile, la capote assortie aux chênes de l'airial : vert gorgé de noir. Il monte Querelle, ma jument bai qui encense, un doux mouvement de la tête, non pas tic, mais signe d'impatience. De l'endroit où je me tiens, dissimulée par la grange, je devine les nuages qui passent dans son œil créole, j'imagine les frissons qui courent sur son flanc. Elle n'en peut plus, Querelle, anglo-arabe de six ans que l'aube enivre. La monterais-je, nous aurions déjà galopé de Mourlosse jusqu'ici, Pignon Blanc. Mais le cavalier a demandé conseil à mon père. A sept heures solaires, il a quitté les écuries de Nara, il ne galopera qu'à sept heures et demie, je peux retracer les étapes de sa promenade : pas jusqu'à la vallée du Fou, obscure à cette heure comme une caverne ; pas, encore, au début de la piste de sable, d'un blanc d'ossement parmi la bruyère crêpue ; trot à partir de Marotte ; le ciel, insensiblement, est passé de l'outremer à la cendre, la forêt de pins se fend pour le cavalier qui retient Querelle, il lui parle en français. Non non pas maintenant sois sage Querelle. Prononce-t-il Guerelle et zois zache ? Qu'est-ce que ça change ? Il monte ma jument, je le déteste. Je me suis dépêchée de sortir avant lui et j'ai pris Ouragan que j'appelle mon cheval de cirque parce qu'il rue sur place ; je le traite encore de citrouille à cause de sa couleur : c'est un alezan. Je l'ai sellé furtivement à six heures ; dehors, il faisait nuit noire. J'avais honte d'abandonner Querelle, mais j'étais sans courage pour assister à ce que j'appelais sa capture. Son œil trop grand me guettait à travers la grille de son box. Ouragan, lui, inventait une farce après l'autre, bousculait son seau, mordillait mon trench-coat, verrouillait ses dents contre le mors, puis, au moment de la sangle, gonflait la bedaine. Ouragan, espèce de caïman, tu l'auras, ta volée. Querelle, n'aie pas peur, on se retrouvera, à tout à l'heure, ma presque-noire. Nous sommes tout à l'heure. Le cavalier émerge exactement où je l'avais prévu, sous les arbres sans feuilles de Pignon Blanc. Derrière lui, le potager, le champ, tout est pourriture : fanes de maïs comme des soldats morts, choux devenus méduses, dahlias cuits, gluants. Je voudrais que le cavalier, lui aussi, pourrisse, voleur de Querelle, voleur de chevaux. Il me voit, rassemble ses rênes, Querelle baisse la tête, balance l'encolure, son jeu d'épaules, oh, merveille. Papa dirait ma bielle bien huilée, moi, je redis ma presque-noire. Ils avancent. Ouragan est fatigué de jouer les espions et Querelle bout, je n'ai plus qu'à me rendre, à saluer le voleur vert. Je m'éloigne de la grange, me dirige vers le champ. Glissent la vieille métairie de Pignon Blanc, torchis et poutres en Y, la maison neuve, briques-fougères. Glissent les baraques, les cagibis où l'on abrite la lessive et, malgré la guerre, les pintades, les poules qui couvent, les lapins, les bassines pour le cochon, les fagots de gemmelles. Une main entrouvre un volet, une ombre s'efface près du billot où l'on fend les bûches, des roquets aboient, ils ne répondent qu'à deux noms : Papillon pour les mâles, Polka pour les femelles. Des chats jaillissent d'un genévrier, ils n'ont jamais de noms. Eux, on ne sait que les chasser. *Tiou lou gat,* arrière le chat. J'ai envie de crier *tiou lou boche,* mais pour l'amour de mes chevaux, je ne bronche pas, j'avance et j'empêche Ouragan de faire le clown. Grandit à ma rencontre la liste de Querelle, sur son chanfrein cette tache de lait oblongue que je compare à une perle-poire et qui souligne sa beauté de reine d'Orient. Le cavalier la retient en suavité, comme dirait encore mon père — qui ajouterait merci mon Dieu. Moi, je suis soulagée. Hostile, mais soulagée.

— Bonjour.

— Bonjour, Mademoiselle.

Il enlève sa casquette à visière noire. Tête nue, il n'est pas si laid. Quel âge a-t-il ? Papa m'a dit dans les trente ans, je ne crois pas qu'il soit si vieux. Et son chanfrein d'homme est possible, il est pâle, non pas rose comme les autres, ses yeux ne sont pas globuleux, il ne dit pas ponchour.

— Votre jument a une bouche magnifique.

— Je sais.

— Une bouche de... Comment dit-on ?

— Mon père dit une bouche en soie.

— Bien dit. C'est à vous qu'elle doit cette bouche en soie ?

— Un peu.

Bon. Rien à redouter de cet homme-là pour le moment. Il me tarde de rassurer Papa qui n'a pas dû fermer l'œil. Je n'oublierai jamais son visage quand le colonel l'a calmement prévenu que ses officiers monteraient nos chevaux. Il est resté comme asphyxié, sans répondre, il m'a paru très vieux, soudain, avec ses leggings râpées, son imperméable durci comme du carton, ses lunettes de myope qu'il refuse d'essuyer pour mieux cacher sa mélancolie. Seul avec moi, il a mis sa tête dans ses mains, puis lui, Papa, mon père qui n'a même jamais allumé une cigarette en ma présence, il s'est mis à fumer la pipe — d'où venait-elle ? Et ce tabac qui empestait le goudron ? Le soir, il s'est couché. Fièvre, lumbago, recommandations mélodramatiques. Je me suis assise au pied de son lit devant la photographie de ma mère, amazone en canotier dont le sourire incrédule (les morts sourient à la façon des sourds) me serre toujours le cœur. Nina, pendant plus d'un an, nous avons eu la chance de ne pas héberger de cavaliers, nous payons cette chance, tout se paye, Nina. Moi, j'ai d'abord proposé de verser du poison dans les marmites qui ronronnent, la journée longue, sur le fourneau de la cuisine. Puis offert de m'enfuir avec nos trois chevaux, d'attendre au plus ténu de la forêt que finisse la guerre, que périssent tous les Allemands. La voix de Papa s'est brisée. Ce sont eux les plus forts, si nous ne savons pas y faire, nous perdrons les chevaux, c'est ça que tu veux ? J'ai pris sa main, sans plaisir (je ne peux supporter le contact de la fièvre), mais tendrement : il avait besoin de moi. Je t'en conjure, Nina, il faut que tu m'aides. Je l'aide. J'ai refusé d'être le cornac des Allemands, mais promis de me trouver sur leur passage souvent, très souvent, de les renseigner sur le pays, sur leurs montures. J'ai promis d'être souple. Je tiens ma promesse. Encouragé, le cavalier continue de célébrer

Querelle. Nos deux chevaux rapprochés forment un angle aigu, je caresse ma jument — sous la crinière, sa place favorite. Presque-noire aux cheveux chinois, tu te rends compte? Tu fais de moi une conciliante. Le cavalier m'interroge, lentement. Je réponds sans plus de hâte.

— Vous croyez que je peux galoper ? Ça n'est pas trop tôt ?

— Mais non, allez-y, n'ayez pas peur.

— Peur ?

La voix vibre. Qu'est-ce que j'ai dit ?

— Mais oui, n'ayez pas peur de fatiguer Querelle, foncez, donnez-lui des rênes, plus elle se sentira libre, plus ça marchera. (Je grimace quelque chose qui ressemble vaguement à un sourire.) Plus ça marchera avec vous.

— Je peux vous suivre ? demande le cavalier.

— Si vous voulez.

Ouragan a compris. Il frétille et bouscule un chien de berger qui l'injurie en poissarde, la tête vissée entre les épaules. Sans pitié, nous chargeons une société de canards contre le pont de Pignon Blanc. Gavée de pluies, l'eau du ruisseau violente les écharpes de faux cresson. Les chevaux sont tout sang, nerfs, attente, ils vont vivre un vrai morceau de vie. Ça se passera sur l'autre rive, dès le seuil de la forêt-cathédrale. Nous y voilà. Quatre chemins, quatre travées, la troisième est la bonne. Je pousse Ouragan, il trotte, il exulte et le cavalier de Querelle a droit au spectacle d'une cabriole-maison. La croupe de l'alezan s'élève, retombe, j'encaisse, j'ai de bons reins et ça me plaît. Redressée sur mes étriers, je me retourne. Querelle aussi a pris le trot, sa crinière vole comme une aile courbe. On y va ? Le cavalier acquiesce d'un mouvement du menton, mais c'est Querelle qui consent, de tout son corps, de toute son âme impétueuse. Elle arrondit son action, bascule dans un petit galop ramassé, musical. Tu es contente ? Ouragan m'obéit, je m'amuse à le lancer puis à le reprendre. Sszzz. Douce-ment. Il est gai. La gaieté des chevaux, la seule qui me reste. Je flatte l'encolure du cheval gai ; sous bois, sa robe prend la couleur des fougères détrempées, roux rose incandescent. Derrière moi je sens Querelle, heureuse, qui s'allonge. Viens près de moi, je veux te voir. Le chemin s'élargit. Je fais signe au cavalier d'avancer à ma hauteur, nous sommes maintenant côte à côte, sa casquette absurde lui donne un profil de huppe, je m'en moque. Seule, sa main a de l'importance, elle est légère, et sa jambe ne bouge pas. Nous débouchons sur une ligne droite entre deux mers de jeunes pins. Je me penche, le cavalier m'imite, nos chevaux creusent l'air, à peine fous, colosses brusquement impondérables. Dans le vent qui lave mon visage, je pense à Jean.

Un homme marche vers moi, c'est la tombée du jour, il avance parmi les haute herbes de la lande (en patois on dit des *aougues*), il traverse une coupe de pins, enjambe des tronçons de bois écorcés, corail ou chair, j'entends le bruit de ventouse que font ses bottes de caoutchouc. Moi, je suis assise sur un de ces morceaux de bois, je baisse la tête, mes cheveux pendent, dénoués (ce sont des cheveux très longs, châtains, frisés, presque crêpus, quand je viens de les laver ils ressemblent à de longs éclairs mous), ils tombent en pluie sur ma nuque et devant, par-dessus ma bouche. L'homme se rapproche, je ne vois pas son visage, je veux crier, je ne peux pas, l'homme se rapproche encore et moi je glisse par terre, je suis semblable aux morceaux de pin qui jonchent la lande, je suis bois, je hurle, je crois hurler, je m'éveille, je me lève, je suis en sueur, mes cheveux sont collés sur mon cou, mon front. Quelle heure est-il ? Quatre heures du matin. Jean, qu'est-ce que tu fais si loin de moi ?

Puisque je suis réveillée, je vais me lever, je vais sortir et je prendrai un œuf dans le poulailler, je laverai mes cheveux avec le jaune de l'œuf, ils seront doux, luisants comme la robe de mes chevaux. J'écoute la nuit. Le silence la tient partout comme un gel, j'enfile un tricot sur mon pyjama. Mon trench-coat, mes bottes. Je tourne le loquet de la porte. Le cœur me bat, mais rien. Me voici dans le corridor du premier étage — lequel penche vers la droite (c'est la faute de la maison qui s'affaisse, paraît-il ; elle date de mon arrière-arrière-grand-mère, Bastiane Soyola, une dame un peu trop friande de bergers. Papa dit que je suis sans doute l'arrière-arrière-petite-fille d'un berger, et alors ?) Je marche soigneusement sur le tapis de corde rouge au milieu du corridor, j'évite le plancher trop bien encaustiqué, les bottes des Allemands, les chaussures de ma tante et de ma grand-mère que Mélanie ramassera vers sept heures avant de moudre le café. Je retiens ma respiration devant la chambre de Papa, devant celle du colonel occupant et celle de son lieutenant. Le cavalier rêve-t-il de Querelle ? Je descends l'escalier qui décrit une demi-volte, la rampe sous la main est comme une autre main, elle sent la cire de bruyère, odeur ronde et chaude.

(Je préfère quand même celle de la fleur de magnolia. Il y a trois magnolias dans le jardin de Nara. Quand vient l'été, je coupe leurs fleurs en boutons. Ce ne sont alors, entre les feuilles à revers velus, que des espèces de cornets pâles, inodores. Qu'on les enferme seulement un après-midi derrière des volets où tape le soleil. Le soir l'odeur est là, miellée, bouleversante, et déjà les pétales vénéneux s'avachissent. Le lendemain, la mort les envahit, par coulées brunes, et l'on se penche sur l'odeur moribonde, et l'on se sent mélancolique, c'est Jean qui m'a enseigné tout ça, cet idiot de Jean.) Arrivée au rez-de-chaussée, je longe à nouveau un tapis rouge, j'évite la salle à manger, la véranda, le salon, même la cuisine et la souillarde dont les portes gémissent à cause du bois qui travaille avec les saisons. Je passe par la buanderie. Sur les deux tables à plateaux de marbre, Mélanie aligne les jattes où caille le lait. Si je m'écoutais, j'en soulèverais une, je renverserais un peu la tête et, par saccades, je ferais glisser le caillé dans ma bouche (il est parfumé à la vanille, je devine la gousse noire sous le glacis blanc), mais c'est impossible, le caillé trahit toujours le passage des voleurs, il se craquèle, le petit lait envahit les failles, j'en suis quitte pour un regret, une faim soudaine que j'apaiserai plus tard, quand je pourrai.

J'entrouvre les volets, pas trop, je sais à quel angle ils commencent de grincer, je mets un pied sur l'appui de la fenêtre, l'autre, je saute. La nuit de Nara, mon Dieu, que je l'aime et pourtant nous sommes en décembre, l'air est saturé de vapeurs glacées. Un peu partout, à la hauteur du puits, de la grille qui cerne le jardin, je vois flotter des cheveux de sorcière, je n'ai ni peur ni froid, au contraire, je défie les ombres, je brûle, j'ai dix-sept ans, le corps fou d'impatience. Partie dérober un œuf, que vais-je inventer ? L'envie absurde me saisit de crier au secours, je les verrais tous surgir dans un fracas de portes battues, de vitres que l'on briserait peut-être, de jurons allemands, de qu'est-ce que c'est ? qu'est-ce que c'est ? Papa, Bonne-Maman, tante Eva, Mélanie, le colonel, le cavalier, les ordonnances. Et pourquoi pas ? — ils sont si malins — Querelle, Ouragan et le vieux Lilas IV avec ses trois balzanes haut chaussées ? Qu'est-ce que je risque ? La maisonnée en robe de chambre, ça pourrait être drôle, le colonel a un ventre de poulinière, le cavalier aurait un pistolet, tante Eva son chapelet, je rirais, je raconterais... Non, imbécile, tu ne raconteras rien, tu n'as plus personne à qui parler. L'œuf. Quand on meurt d'amour et qu'un cauchemar vous harcèle, on se lave la tête, dépêche-toi. Je marche comme l'homme sans visage de mon rêve, mes bottes enfoncent, les deux poulaillers sont tout au fond du jardin, adossés à la forêt, je les distingue à peine, mais qu'importe, je leur ai si souvent rendu visite, la nuit. Je sais où l'on cache les clefs, dans la paille qui protège la pompe à main. Les poules me connaissent, j'aide souvent à les soigner. Aucun effroi n'accompagne mon intrusion. Posés à d'inégales hauteurs, j'aperçois des tas, des espèces de vies en forme de tas. Sous le faisceau de ma lampe, se dressent de petites têtes revêches. Le premier œuf est là, dans une caisse, sur un paquet de foin mêlé de plumes, il est encore tiède. Maintenant, je devrais rentrer à la maison, je ne peux pas, je ne peux pas. C'est l'heure où il venait me retrouver, il me réveillait sans précautions, en tirant sur mes draps.

— Pousse-toi, je veux la place chaude.

Il était à moitié nu, je l'accueillais sans ouvrir les yeux, je commençais par le sentir. Le jardin n'est pas vraiment obscur, un morceau de lune s'accroche à la nuit, je vais me promener. Dans ma main, il y a un œuf ; devant moi, les arbres qu'il aimait : les trois liquidambars, les deux érables, les tilleuls, tous squelettiques. Mais, au milieu de sa couronne de buis, le pin franc dresse sa grosse tête perdurable, les magnolias ont des feuilles jusqu'au sol, les piquants de l'araucaria sont intacts. Il disait embrasse-moi les dents, j'aime ça. J'obéissais, je posais mes deux mains sur ses épaules, j'approchais ma bouche de la grimace qu'il devait faire dans le noir, de ses dents serrées comme celles des chevaux dont on veut lire l'âge et, le lendemain, à la vue des larges incisives bombées, brillantes, des canines (celle de gauche un peu de travers, il disait ma défense) je frissonnais. Je veux aller sous la tonnelle, c'est là qu'il m'a montré comment allumer des cigarettes, j'avalais la fumée, à grandes goulées stoïques, ça me tournait l'estomac. Il me demandait souvent :

— Qu'est-ce que tu ferais pour moi ?

— Tout, n'importe quoi.

— Jure-le.

Je jurais, les deux mains au-dessus de sa médaille, saint Jean-Baptiste dans de l'or.

— Tu pourrais tuer ?

Il riait, mais moi je perdais pied. Tuer ? Jean, tu n'as pas le droit. Je dois rentrer. Les Allemands s'éveillent de bonne heure. Je n'ai pas envie d'être surprise en pyjama et en bottes sous la tonnelle pelée par l'hiver. Et puis je ne veux plus penser à Jean, il est parti, il m'a quittée il y a deux mois, le dix-sept octobre 1941. Moi, je n'avais plus de sang dans le corps, il disait ne sois pas bête, ça passe vite, le temps. Il est parti à bicyclette, je l'ai suivi sur le vieux vélo de Mélanie auquel il manque une pédale et un garde-boue. Lui il avait tellement graissé la chaîne de sa bicyclette qu'elle a sauté deux fois, c'est moi qui l'ai remise en place, dans la nuit. Il avait pris un ton solennel. La dernière personne que je quitterai, ce sera toi, et ce sera au petit matin. J'ai assisté dans les ténèbres du corridor aux adieux chuchotés de sa mère, elle répétait sois prudent, c'est tout ce qu'elle trouvait à lui dire, sois prudent sois prudent. Moi j'avais envie de la secouer, de crier pourquoi sois prudent ? Parce que c'est la première fois qu'il se balade dans les pins la nuit ? Parce qu'il a horreur de l'aube ? La prudence, ça me paraissait un mot honteux, comment osait-elle en faire son adieu à Jean ? Je ne croyais pas à son départ, ni quand il a quitté Nara, ni pendant le voyage jusqu'à la Courgeyre, six kilomètres dans les bois. Tout était irréel, nous suivions sans la voir une piste mince et sinueuse, un serpent d'ombre, les arbres n'existaient plus, l'obscurité mélangeait tout. Il ne partirait pas, il ne partirait pas, nous allions faire demi-tour, abolir la menace, les projets idiots, cette évasion de pacotille. Quand il s'est arrêté pile sur le chemin, j'ai aussitôt changé la direction de ma bicyclette, je l'ai tournée face à Nara. Nous étions en octobre, ça sentait le cèpe, la fougère pourrissante, odeurs sombres, intimes, qui renforçaient mes illusions, il ne partirait pas, la terre sentait trop bon, je n'avais rien à craindre. Le vingt-trois octobre je célébrerais son anniversaire, dix-neuf ans, j'imaginais déjà le cadeau que je lui ferais.

— Jean, tu sais, pour le vingt-trois, j'ai une idée formidable.

— Garde-la pour mon retour.

— Jean, écoute.

Il n'avait pas mis sa bicyclette en direction de Nara, il ne respirait pas la terre, il s'était vraiment arrêté pour me dire adieu et il restait immobile, la barre du vélo appuyée à sa hanche, son visage émergeant comme une pierre de la clarté duveteuse du jour. J'ai crié son nom. Mais ma gorge ne m'obéissait pas, il n'a pas compris, il a posé sa main sur la mienne, j'ai vu ses yeux bouger, la pierre de son visage se remettre à vivre, devenir joues, front, bouche, mais ça n'était pas plus rassurant.

— Voilà.

— Voilà quoi ?

— A bientôt, Nina.

— Je ne veux pas, je veux que tu restes.

— Rigole. Pour me faire plaisir. Rigole.

Quelque chose se mit alors en marche : l'absence de Jean. Il me reprenait ce qui me faisait vivre, son visage, sa chaleur, sa voix, il les cacherait, il laisserait le vide dévorer ses gestes. Les mots qui n'avaient jamais fait partie de mon vocabulaire, éloignement, séparation, oubli, je les sentais collés à ma peau, j'étais livrée à leur travail, un grand saccage blanc. J'allais vivre jour après jour (et que signifierait un jour désormais ?) comme derrière une porte interdite, toute ma pensée tendue vers l'idée de Jean, je l'appellerais, il ne m'entendrait que dans sa tête, selon son caprice, il ne traverserait que mon sommeil et même là quand je le supplierais, il me répondrait par des mots idiots, rigole, rigole pour me faire plaisir...

— Allons, Nina, ne fais pas cette tête, imagine quand je reviendrai, ça sera drôle, j'aurai l'accent british, tu te tordras, tu fais le pari ?

— Non, ça ne m'intéresse pas.

— Je rapporterai des disques de blues, et des caisses de Craven.

— C'est ça qu'on trouve dans le Gers, des blues ?

— Idiote, tu sais très bien que ce n'est qu'une étape. Dans quinze jours, je serai en Angleterre, peut-être avant.

— Reste.

J'agrippai le sac qu'il avait ficelé soigneusement sur le porte-bagage de sa bicyclette. D'une main brutale il m'a repoussée.

— Jean, je tuerai si tu me le demandes, mais je t'en supplie, reste, Jean, reste.

Il était déjà installé sur la selle et prenait le départ. Je criai encore reste, et puis je me suis mise à courir. Mais il pédalait très vite, je l'ai vu disparaître dans un chemin qui se rétrécissait entre des *aougues*. Il n'avait pas de bottes, ce n'est pas lui l'homme de mes cauchemars. Pourtant, je suis tombée sur le sol de toute ma hauteur, comme un morceau d'arbre et, la tête dans la terre, j'ai hurlé.

J'avais six ans, mais on ne m'en donnait guère plus de quatre. Tandis que lui, à huit ans, en paraissait au moins dix. Il se tenait très droit, les bras tendus, sous le plus grand magnolia. Il était si beau avec ses cheveux d'un jaune poussin, bouclés jusqu'aux sourcils, ses taches de rousseur qui lui dessinaient comme un masque et, retenu par une ficelle, le sifflet qu'il n'enlevait presque jamais de sa bouche, de sorte que chacune de ses paroles se compliquait de notes aiguës.

— Bonjour, Nina.

— Bonjour, Jean.

C'était l'été. Je portais un costume marin

que l'on imaginait léger sans doute parce que les marins, eux, avec leur océan, ont toujours frais. Mais, coutil, plastron, lavallière, manches aux coudes, double boutonnage, j'étouffais. De surcroît, en raison de la mort de ma mère, on m'avait mis des chaussettes grises qui montaient aux genoux et des souliers appelés *kneips*, d'un noir terne. Et devant moi, il y avait ce garçon solaire, torse nu, pieds nus, comme vêtu seulement de ses boucles et de son sifflet. Sa peau, celle des jambes comprises, avait la douceur dorée du caramel. C'était mon cousin germain. Jean Branelongue. Je n'imaginais pas qu'il pût exister de nom plus séduisant.

— Tu es triste ?

Le sifflet prolongeait l'interrogation. Dans le *i* étiré, j'avais senti une invite. Jean me permettait de pleurer. Alors, j'avais pleuré tranquillement sans m'essuyer les yeux, savourant l'image explosée, scintillante, de mon cousin à travers mes larmes. Et lui, aussi tranquille, il avait marché jusqu'à moi, le sifflet s'était enfoncé dans ma joue tandis qu'il m'étreignait de toutes ses forces.

— Tu veux que je t'arrose ?

Je n'avais pas eu le temps de dire oui ou non. Déjà il tirait sur le costume de coutil, les chaussettes, les *kneips*. Il ne m'avait laissé que la culotte petit bateau attachée par trois boutons à la chemise de percale. Puis il s'était rué sur le tuyau d'arrosage, il m'avait tenue à bout de bras pour la petite pluie, pour l'averse et la pluie d'orage. Pour le jet, il s'était reculé de deux pas, clignant des yeux comme un chasseur, appréciant son travail, et j'avais crié, ri, haleté, suffoqué, ri de nouveau. Sous l'eau bienfaisante, se disloquaient les images qui avaient précédé ma venue à Nara : ma mère engloutie jour après jour par la maladie, ses lèvres plus blanches que son oreiller, la rituelle question : tu es sage ? et la main qui laissait sur ma joue d'enfant confiné dans une maison sans air, dans une ville que grillait l'été, comme une trace de brûlure. Tout avait commencé avec la douche de Nara. L'amour, une faim qui faisait trembler mon corps fragile, une convoitise qui soudain, au milieu de mes rires, me serrait le cœur, m'étouffait, l'amour, l'amour, je veux aimer, je t'aime, Jean. Et lui, sans cesser de siffloter, il m'avait bouchonnée, doucement, avec les chaussettes grises, il avait tordu de ses deux mains mes cheveux trempés.

— Tu as faim ?

Non, je n'avais pas faim, mais comment le lui avouer ?

— Un peu.

Il avait disparu. Pendant trois minutes, j'avais grelotté, non pas de froid (la chaleur, au contraire, remontait par vagues visqueuses), mais de solitude. Soudain, dans ma culotte mouillée, je m'étais sentie seule, nue, dépouillée, le monde merveilleux qu'on venait de m'offrir s'effritant, comme un paysage que dévorent les ténèbres. Et puis Jean était revenu, ses bras serrés en corbeille autour de son butin. Entre nous, sur la pelouse, il avait étalé des morceaux de couenne grillée, un reste d'omelette, un bol de lait caillé. Et j'avais contemplé ce prodige : le garçon de lumière à genoux dans l'herbe, recréant le paysage, la vie, disposant devant moi des plats ébréchés. Une deuxième faim, aussi violente que l'autre, s'était allumée en moi ; comme un chien qui n'a pas mangé depuis plusieurs jours, j'avais croqué dans la couenne, aspiré le caillé à même le bol, happé les morceaux d'omelette que Jean détachait du plat, paisiblement, et qu'il me tendait sur la pointe d'un canif.

— C'est bien, avait-il dit, très grave, tu vas devenir une grande belle fille si tu manges comme ça.

Alors j'avais risqué un geste fou. Incapable de contenir le flot terrible qui m'envahissait, reconnaissance et surprise, je m'étais rapprochée de lui, en deux coups de reins. J'avais baissé la tête et, furtivement, passionnément, baisé les genoux un peu écorchés, un peu sales, du garçon. Mais lui, aussi vite, il avait interrompu le baiser.

— Viens.

Il sautait, le bras tendu, pour attraper une branche de magnolia où s'épanouissaient deux grosses fleurs. Il l'avait tirée comme la voile d'un bateau quand le vent change.

— Tiens, prends, respire.

J'avais respiré, une petite pluie d'étamines avait poudré ma joue. J'existais.

Je n'existe plus. C'est ce que j'ai écrit sur une carte postale adressée à mademoiselle Jane, chez monsieur Bouchard, Domaine de la Viole, Rauze, Gers. Je ne suis pas fâchée que, pour cette aventure qui me déchire, il ait choisi un surnom ridicule. Mademoiselle Jane a écrit trois cartes, deux à sa mère, une à moi. Qu'en pensent les Allemands ? Que s'imagine le secrétaire du colonel, cette espèce d'albinos qui trie chaque jour les lettres, son œil rose embué de perplexité ? Mademoiselle Jane à Rauze, qui ça peut-il être ? Une Mata Hari portée sur l'Armagnac ? Une voyante qui lit l'avenir au fond de pots de confits ? Ou simplement une de ces gouvernantes fossiles, une Mademoiselle Miss, comme on les appelle par ici, chargée d'apprendre aux Gersois snobs comment on dit hello au téléphone et *quick quick* dans la vie ? Je déraille. Les Allemands se moquent bien de mademoiselle Jane, c'est moi qui suis obsédée, il est parti depuis plus de deux mois, soixante-douze jours exactement, et, pour nourrir ma peine, tout ce que j'ai à me mettre sous la dent ce sont ces messages intemporels, ouverts à tout venant. Il me semble que j'aurais préféré recevoir des cartes interzones. On les a supprimées il y a seulement quelques mois, c'est dommage. Elles avaient treize lignes. Dans les dix premières lignes, on avait le choix entre plusieurs mots : fatigué, gravement malade, prisonnier, décédé. Après on parlait de provisions, de bagages et d'école. Mais les trois dernières lignes étaient semées de petits points, je crois que j'aurais bien rêvé sur ces points. Les cartes postales de Jean sont des rébus dont la facilité me navre. Dans la première, mademoiselle Jane avait délicieusement dîné chez ses cousins d'Hagetmau : c'est donc là qu'il a franchi la ligne de démarcation. Dans la seconde, il parlait de Carmen, par conséquent il croyait avoir trouvé un filon pour passer en Espagne. Dans la troisième un certain George Vinsor entrait en scène, il attendait Jean dans son cottage pour Noël, ou tout de suite après. On ne pouvait être plus transparent. Ma tante trouve ce cottage écrit en toutes lettres bien imprudent, mais moi je m'en moque, j'ai prétendu devant tout le monde qu'il existait bel et bien un George Vinsor dans le Gers, que c'était un Américain richissime, qu'il appelait cottage son château pour faire preuve de modestie (après tout nous étions en guerre), enfin j'ai dit il a bien raison d'aller chez ce type pour Noël, là au moins il s'amusera. Rien. Je ne veux rien savoir, rien admettre des projets de Jean, de ses espérances en forme de trahisons. Il a pourtant insisté impitoyablement pour me mettre au courant de tout. C'est sur mon lit qu'il a, nuit après nuit, étalé les cartes de la région, tracé au crayon rouge l'itinéraire très compliqué qui lui permettait de rallier Hagetmau sans passer par la grand-route. L'homme qui l'a aidé à traverser en fraude la ligne de démarcation, il me l'a nommé dix fois, il a vingt fois décrit le passage de cette ligne : il comptait se faufiler à plat ventre dans une buse placée sous terre entre les deux zones. Formidable, non ? Nina tu ne trouves pas ça formidable ? Je trouvais ça lugubre. Et grotesque. Cette buse n'évoquait pour moi qu'un dessin animé, je voyais Pluto, le grand chien de Walt Disney, guettant à l'autre bout du tuyau, aboyant et mordant le pantalon de l'évadé, en l'occurrence Jean. Ton truc, c'est bon pour Mickey, Jean.

— Répète, a dit Jean.

— Ton truc, c'est bon pour Mickey.

— Tu es moche, Nina, quand tu es méchante.

— Je ne suis pas méchante, je ne veux pas que tu t'en ailles.

— Tu es moche quand tu ne veux pas que je m'en aille.

Je l'ai giflé, nous nous sommes battus sur mon lit et sur le plancher en pente. Nous roulions, il tirait sur mes cheveux et moi je frappais au hasard sa poitrine, son visage, je donnais des coups de pied, il m'a pris les jambes dans les siennes, il a serré très fort, de plus en plus fort, mes genoux étaient écrasés, j'avais mal, je me suis débattue, j'ai encore frappé partout. Quand je frappais avec le plat de la main, je sentais sa peau mouillée de sueur. Bientôt, je me suis rendue. J'étais trop triste pour continuer. Et ce n'était plus la faute de Jean, ni celle de notre dispute, la menace de son départ, non. Dans cette lutte inutile et violente, j'ai vu se dresser l'image de ma vie. Tout se passerait ainsi pour moi, je brûlerais, et mes brûlures ne serviraient de rien, un ange noir m'accompagnait ; au lieu de me protéger, il grimaçait derrière mon dos. Gestes fous, gestes sages, le bien, le mal, tout ce que je ferais serait lavé à l'eau de la dérision. J'ai compris que j'appartenais au troupeau des êtres sans grâce, je l'ai compris, mais ne l'ai pas accepté, pas du tout, et même à cette idée, j'ai senti dans mon sang un réveil sauvage, j'ai recommencé de me battre. Papa est apparu dans l'encadrement de la porte.

— Vous n'avez pas honte de vous battre ? A votre âge ? Nina chérie, voyons, sois raisonnable.

Nina chérie a cessé de lutter, Jean s'est remis debout, je rêve souvent que je me bats avec lui, je l'ai encore rêvé hier, mais ce n'était plus Papa qui nous séparait. Devant la porte de ma chambre, dans une lumière glauque se tenait un homme, ce devait être George Vinsor, il faisait des grimaces, louchait, tirait la langue. A côté de lui, il y avait un sapin de Noël, George le soulevait sans effort et l'offrait à Jean comme un simple bouquet. Christmas Christmas, chantait-il.

Christmas, c'est pour ce soir, mais à Nara, depuis l'occupation, ça ne compte pas. Le couvre-feu supprime la messe de minuit, les huîtres d'Arcachon dorment dans leurs parcs, pas de chocolat, pas de ces brioches appelées pastis, donc pas de réveillon, pas de veillée. La crèche de notre enfance est restée dans un cocon de copeaux, là-haut, dans le grenier, avec son âne cul-de-jatte, ses mages dédorés, ses bergers portant leurs agneaux sur la nuque comme des havresacs et l'ange qui hochait la tête d'un air futé quand on mettait un sou dans la fente ménagée entre ses mains jointes. C'est un radin, répétait Jean, sa tête ne me revient pas. (Il finit par le décapiter, installa le sourire futé, sur une étagère de mon armoire, dans des tricots. Je le trouvai, le cueillis avec tout le sang-froid possible et, le soir même, l'ange souriait entre les chaussettes de mon cousin.) En revanche, les Allemands s'apprêtent à célébrer comme il se doit la sainte *Nacht*. Depuis huit jours, je leur vois des airs attendris, ils façonnent des guirlandes avec des ficelles de couleur, des pommes de pin, des baies de je ne sais quoi (le houx est rare dans les Landes). Ils ont planté un petit arbre dans une marmite qui trône au beau milieu du salon réquisitionné ; même opération dans la véranda. Les ordonnances ont pétri de lourdes pâtes soyeuses, aligné, sur le buffet de la cuisine et sur les deux dessertes de la salle à manger, des gâteaux cannelés hauts comme des gibus. Depuis sept heures du soir, on sonne, on sonne, tout l'état-major du stalag claque des talons dans le corridor, des casquettes s'amoncellent sur les chaises, le coffre à bois disparaît sous les capotes, on entend le refrain : *guten Nacht, gouteun, gouteun,* le colonel se dandine, il a le sourire de l'ange radin, un peu pincé, beurré de complaisance. On boit. Quoi ? J'ai demandé à Mélanie. Des mélanges. Le colonel tient le piano, il a des mains très blanches et ses poignets dansent, il a ordonné de laisser les portes du salon grandes ouvertes, pour se faire admirer de tout le monde, sans doute. Autour de lui, en demi-corbeille, des grands, des petits, des vieux, des moins vieux, les yeux clos, la bouche ouverte. Ils chantent, ils broient de la douceur au mètre. Cette harmonie, toute cette harmonie, gémissait Jean, moi ça me barbouille, et l'année dernière il se coucha à l'heure du concert allemand, il se croyait en bateau. (Quand il avait dix, onze ans, il profitait de Noël pour se faire la tête du diable, il se dessinait des cornes et une barbiche au bouchon brûlé, puis il venait me surprendre au plus noir de la nuit, au plus fort de mon sommeil. Debout sur le bois du lit, il chantait des horreurs avec l'accent landais, je le suppliais. Tu me fais peur. Il plongeait du haut du lit contre moi, sur moi, il était éreinté. Quand, au matin, j'ouvrais les yeux, le bouchon brûlé avait tatoué son visage, les joues, le menton, il ressemblait à un ramoneur, je me levais et, dans la glace de mon armoire, j'apercevais un second ramoneur.) Oh, je crève, je vais crever, j'ai l'impression d'être poursuivie, en même temps enchaînée, c'est comme s'il disait mais retourne-toi, je suis là. Je me retourne, il décampe, vite, il pédale, toujours plus vite, et il dit le temps ça passe vite. Imbécile, depuis que tu es parti, le temps est bloqué, je pédale dans le vide. Le colonel a longuement remercié Papa, il paraît que je suis une écuyère *maguenifique*, je devrais rougir, je grogne.

— Quels idiots. Ils me barbent avec leurs compliments.

Nous sommes à table, dans ce qui nous sert de salle à manger. C'est l'office où Mélanie fait l'argenterie, je devrais dire : faisait, il ne reste plus que des couverts sans chiffres et des plats cabossés. (Trois coffres bourrés de saucières, de pinces à sucre, de pelles à tartes, de couverts à huîtres et à poissons dorment sous le plus grand chêne de l'airial, j'ai assisté à leur enterrement, une nuit, l'année dernière.) Cernée de placards, éclairée par une lampe à crémaillère, la pièce est à peu près aussi gaie qu'une arrière-boutique ; Bonne-Maman y a suspendu des gravures figurant les campagnes de Napoléon, ça réconforte, affirme-t-elle. Je ne vois pas pourquoi elle a un tel besoin d'être réconfortée, cette vieille dame à bajoues, avec ses corsages en soie où se promènent des chaînes d'or et un face-à-main ; elle passe ses journées à lire des romans, pas du tout les exploits de Napoléon. S'il y a, dans la maison de Nara, une personne que l'occupation allemande ne dérange ni n'angoisse, c'est bien Bonne-Maman. Sur ces messieurs (c'est ainsi qu'elle les désigne toujours), elle fait traîner sans réticence un regard d'un bleu d'ancolie. (Cette comparaison est de son cru. Elle se pique d'être botaniste. Ses yeux sont d'un bleu d'ancolie, ceux de ses enfants, mon père et tante Eva, se rapprochent de l'agérate, enfin pour Jean elle évoque l'anémone pulsatille, qui vire au violet.) Elle ne m'aime pas, elle me trouve laide : d'abord, mes yeux sont noirs et, pour elle, c'est à peu près aussi grave que s'ils étaient crevés (des yeux noirs ne valent pas mieux que des yeux blancs) ; ensuite, je suis efflanquée, des salières, pas l'ombre de croupe. Une femme, pour plaire, doit être *on-ve-loppée,* affirme-t-elle avec l'accent pointu des dames landaises qui veulent à tout prix paraître distinguées. Et ces cheveux, cette coiffure, comment, mais comment cette petite peut-elle se coiffer ainsi ? Je tire mes cheveux frisés en une natte-serpent, Bonne-Maman croit aux pouvoirs des bouffants, des crolles, puis-je me coiffer comme Bonne-Maman ? La voilà qui me gronde.

— Quel vocabulaire. Ils te barbent... Tu ne pourrais pas parler correctement ?

— Ils m'emmerdent, si tu préfères.

— Nina, proteste papa.

Bonne-Maman a de la peine à reprendre sa respiration :

— Elle devient odieuse.

— Exécrable, ajoute tante Eva.

La mère de Jean, je la déteste. Elle a des cheveux teints couleur aubergine, une maladie de foie, un naturel morose (elle était veuve avant la naissance de Jean), elle n'est pas belle. Si. Elle est belle, je suis injuste, les gens disent : la belle Eva Branelongue, et Jean trouve qu'elle a du chic, ses jambes sont bien galbées, ses chevilles fines (dans un pays où tout le monde a des poteaux ou des galantines truffées de varices, les belles jambes, ça se remarque). La ligne de ses sourcils semble dessinée à l'encre de Chine. Mais moi, je ne vois pas sa beauté, je ne vois que sa bile et les coups d'œil qu'elle me jette. A table, elle s'assied en amazone sur sa chaise, frotte nerveusement ses mains l'une contre l'autre, croque du pain grillé tout au long du repas, à grand bruit, cra cra cra cra, je l'appelle Eva Cracra, Jean ne le sait pas, il n'approuverait pas et pourtant, lui, il ne se gêne pas pour se moquer d'elle, il la trouve abusive, il l'a baptisée la mère Abu, elle en rit, elle ne rit que pour lui. Elle l'embête aussi. Reprends de ce plat. Va dormir, tu as les yeux cernés. Tu es fatigué. Et à moi : tu ne peux pas laisser ton cousin tranquille ? Cette fois elle change de rengaine. Mi-menaçante, mi-douloureuse, elle murmure :

— Tâche de te contrôler. Pour Jean.

J'éclate :

— Pour Jean ? Pourquoi pour Jean ?

Je ne veux rien faire pour Jean, je veux qu'il revienne, un point c'est tout. Ces deux dindes, elles l'ont laissé partir, Bonne-Maman par romanesque, tante Eva, j'en suis certaine, avant tout pour nous séparer. Elles l'ont cru, il raconte si bien, Jean, surtout ce qu'il invente, ce dont il rêve. Il a été le plus joli bébé de la terre, le petit garçon le plus blond, le plus vif, il a passé son bachot avec mention bien, pourquoi ne serait-il pas un héros, si ça lui chante ?

— Eh bien, quoi, Jean ?

Les bajoues de Bonne-Maman frémissent, elles semblent parcourues d'une électricité confuse (s'inspirant du jeu des sept familles, Jean avait surnommé notre grand-mère l'aïeule Feuzojou, il affirmait que, dans le noir, il voyait luire les bajoues de l'aïeule comme la statue de la Vierge de Lourdes, sur sa table de chevet).

— Tu le fais exprès ?

— Quoi ? Qu'est-ce que je fais exprès ?

Dans un souffle, ma grand-mère :

— ... de hurler le nom de ton cousin.

Je me lève, j'ouvre un placard.

— Tu crois qu'il y a une table d'écoute ?

Papa m'implore derrière ses lunettes troubles.

— Nina, Nina.

— Quoi Nina ? Et pourquoi est-ce que je ne le hurlerais pas le nom de Jean ? Jean, Jean, Jean.

La main d'Eva Cracra s'abat sur mon bras, le pince. Elle scande :

— Tu serais contente, dis, si on le rattrapait ? Si on le ramenait ? Tu t'imagines peut-être que ça lui plairait de te revoir ?

Je libère mon bras violemment. Mais je parle sur un ton neutre, à peu près calme :

— Je n'imagine rien. Je me dis qu'il est dans le Gers, à quatre-vingts kilomètres, il va célébrer Noël, il s'amuse, bientôt il s'ennuiera, il reviendra, voilà tout.

— Tu ne penses pas au danger qu'il a couru ? qu'il court encore, peut-être ?

— Quel danger y a-t-il à se promener dans le Gers ?

— Tu es à gifler.

— Touche-la, dit Papa, essaye seulement de la toucher.

Mélanie était à la cuisine, elle revient, portant un plat. Elle ne sait pas que Jean est passé en zone libre. On lui a dit qu'il était allé à Bordeaux, préparer un examen. Les yeux glacés de Bonne-Maman balayent son visage, elle veut savoir si Mélanie a entendu, elle se méfie, Mélanie est très amicale avec les ordonnances, elle dit monsieur Franz, monsieur Otto, c'est une bonne fille, hanchue. Moi je sais qu'elle ne pense pas une seconde à mettre en doute la parole de ses maîtres. (C'est son expression.)

— Mélanie.

— Madame ?

Le regard de Mélanie est pur de tout soupçon.

— Mélanie, ça se passe bien à côté ? chez ces messieurs ?

— Oh oui, Madame, très bien. Ils ont apporté un cercueil.

Tante Eva se renverse contre le dossier de sa chaise. Bonne-Maman déplie son face-à-main, clic, clac.

— Un cercueil ? Mais pour qui ?

— Mais pour rire, Madame. Ils l'ont installé dans la véranda. Ils iront tous dedans, on commencera par les plus saouls, enfin, c'est ce que j'ai compris.

— Mais c'est Noël, geint Bonne-Maman.

— Justement, dit Mélanie.

— Justement, quoi ?

— Justement, à Noël, on rit.

Pour faire plaisir à Mélanie, je me force à rire. Le chagrin aidant, je ris bien. De plus en plus fort.

— Un cercueil, oh , un cercueil, que c'est drôle.

— Nina, je t'en prie, dit Papa.

— Tu ne comprends pas ? Ce cercueil, c'est la crèche.

Mélanie repart vers la cuisine, sans son plat, à reculons. Tante Eva se tourne vers Papa :

— Paul, tu ne vas pas sévir ? Tu admets... tu admets le blasphème ?

— Si vous la laissiez un peu tranquille ? dit Papa, vous êtes là, à la harceler, elle se défend comme elle peut.

— Elle a toujours aimé blasphémer, dit Bonne-Maman et elle frappe la table de ses poings potelés.

Quand je veux lui tenir tête, je regarde l'une ou l'autre des boucles qui pendent à ses oreilles, ce sont des saphirs sertis de brillants ; ils ne sont ni plus fixes ni plus froids que ses yeux, mais, montés sur crochets, ils transpercent donc torturent — c'est du moins ce que j'imaginais quand j'étais enfant — ces espèces de champignons blafards, les lobes de ses oreilles. Je sais à quoi tu penses, aïeule Feuzojou. Mon premier blasphème. Tu avais marché sur moi, énorme, gonflée d'indignation, les bajoues en tempête, je croyais que tu allais m'écraser, je n'avais pas vraiment peur, Papa s'était mis entre nous, tu n'aurais pas écrasé Papa, Feuzojou.

— Qu'est-ce qu'il y a comme dessert, Mélanie ?

— Des châtaignes, Mademoiselle.

— Pas de caillé ?

— Non, ces messieurs ont tout pris. Ça les rafraîchira. Quand je pense. Ils mélangent le cognac, le champagne et la cendre.

— La cendre, crie Bonne-Maman.

— Oui, Madame. De cigarette.

Je profite de la consternation générale.

— Je peux sortir de table ?

— Va-t'en, grince tante Eva.

Je me lève et gagne le jardin par la porte de la cuisine. Echouée dans les ténèbres, la véranda est une boîte transparente, je m'approche. Il ne faut pas que, de l'intérieur, les Allemands me voient (j'ai le cou long et blanc, je dois le cacher), je me baisse, seuls surnagent mes yeux et mes cheveux. La fête est gaie, ils disent *komich,* leurs voix onctueuses ignorent la fatigue, ils ont troqué les hymnes pour les valses viennoises. A côté de l'arbre fleuri de jouets bêtes, il y a, posé sur deux tréteaux, un cercueil à poignées d'argent. En me rapprochant bien, je distingue un coussin, un édredon, ils ont droit au confort, les futurs morts pour rire. J'espère que le cavalier ira dormir un peu dans le cercueil. Le voleur de Querelle couché là, réduit à ça, à quoi bon nier que je payerais cher une pareille revanche ?

— Bonsoir, vous cherchez quelqu'un ?

Quand on parle du loup, même *in petto,* voilà ce qu'on y gagne. Je suis vexée, j'attaque :

— Oui, vous.

— Ah.

Dans la véranda, on se déchaîne. Porté par six ou huit chanteurs, le premier trépassé défile derrière les vitraux.

— Ne regardez pas, dit le cavalier, ce n'est pas beau.

— C'est drôle.

— Non.

Je hausse les épaules. Comme il voudra. Je vais rentrer. *Gouteun* nuit.

— Bonne nuit et joyeux Noël.

— Non.

— Pourquoi non ?

Qu'est-ce qui lui arrive ? Je ne vais tout de même pas passer la nuit ici. D'abord c'est Noël, ensuite j'ai froid, enfin il m'assomme.

— Venez avec moi, j'ai un cadeau pour vous.

— Un cadeau ?

— Oui, venez, suivez-moi, je vous en prie.

Je me moque vraiment de son cadeau, mais je le suis quand même. Dans l'écurie, devant le box de Querelle, je trouve deux sacs d'avoine. Mes chevaux en sont privés depuis je ne sais combien de temps, mais je me garde bien de le signaler, je remercie sans effusion et je dis bonsoir pour de bon. Il a l'air déçu, le cavalier. Tant mieux. Dans le corridor, quelques rigolos se sont attelés au cercueil, ils piaffent, trottinent, hennissent.

— Vous devriez leur donner un peu d'avoine, dis-je.

Sur le carrelage de la véranda, je revois le soleil découpé en tranches d'un blanc brusque, et, sur une table ronde, le plateau du café et la cafetière d'où fusaient des rayons. Papa me tenait sur ses genoux, il caressait mes cheveux, Bonne-Maman et tante Eva parlaient très fort. De leurs discours, j'ai gardé le souvenir d'un roulement saccadé comme celui du train. Papa ne répondait pas ou bien des choses comme c'est possible ou crois-tu ? Le train roulait, obtus, implacable. Un mot revenait sans cesse : animal. Je finis par comprendre que l'animal c'était moi et que, non, honnêtement, ça ne pouvait pas continuer. Si papa voulait rester à Nara, y rester avec moi, il fallait dare-dare me transformer en être humain, elles glapissaient. Nétrumain, qu'est-ce que c'est, un nétrumain ? me demandais-je, et pourquoi est-ce mieux qu'un animal ? Papa se taisait toujours, il trouvait sans doute que j'étais un animal fort sympathique sous ses doigts qui soulevaient mon pelage, le lissaient. De temps en temps, il appuyait sa tête contre moi, la monture de ses lunettes était froide sur mon cou. Tout ça me faisait peur : ce froid, les deux femmes, leurs cris, leurs gestes, le train. Heureusement, il y avait le soleil d'octobre, la lumière comme un mur gai, facile à traverser, derrière lequel, à la sortie de l'école, je retrouverais mon dieu : Jean. Dès le lendemain on me donna un autre dieu, le grand, Dieu, et ce fut un nouveau coup de foudre. Il habitait à l'autre bout du village dans la Maison des Sœurs et sœur Marie-Emilienne se chargea de me le présenter en détail. Elle avait des paupières sans cils, mais si lourdes que ses yeux semblaient se battre pour les relever, sa peau était lisse comme une coquille d'œuf sous la cornette aussi vaste qu'un cerf-volant. Ses jupes — elle en portait au moins trois —

étaient grises, très épaisses. Lorsqu'elle me prenait sur ses genoux, je ne les sentais pas, j'étais assise sur un nuage. D'où une impression de mystère qui m'aida à boire ses récits, passionnément, à m'en pénétrer. Sœur Marie-Emilienne était un pur esprit, elle n'avait pas de genoux, pas de corps. Son âme, j'en étais certaine, avait pris toute la place sous les trois jupes grises. Quant à mon âme à moi, je la voyais assez comme une souris blanche nichant derrière mes oreilles, d'où elle me dictait mon devoir. Je fus très heureuse d'apprendre que tout ce que j'aimais, Jean, Papa, les chevaux, les magnolias, le soleil, était l'invention de Dieu, mais avec la mort de Jésus, tout se gâta, je suppliai : je ne veux pas, je ne veux pas, espérant follement que sœur Marie-Emilienne, devant ma colère, produirait une autre image comme, dans un livre, on saute la page qui ne vous plaît pas et on la remplace par une autre. La mort de ma mère remontait à l'été, j'en avais gardé un souvenir triste, mais doux. Dans ma pensée, ma mère dormait, elle avait eu droit au sommeil alors que celui qui avait inventé Jean et les chevaux et la beauté du monde restait accroché à un piquet, son corps barbouillé de sang. Ses mains surtout me faisaient mal, je pensais aux mains de ma mère sur ma joue quand elle glissait vers la mort. Lui, je me disais, s'il veut caresser une joue, pour oublier un peu qu'il va mourir, il ne peut pas, il ne peut pas, s'il veut toucher quelque chose de frais (et j'évoquais cette phrase de ma mère, presque quotidienne : comme tu es fraîche, ma petite fille), il ne peut pas, il est cloué.

— Ecoute, petite, dit sœur Marie-Emilienne en me hissant sur ses jupes, ne pleure pas comme ça. Tu peux le soulager, tu sais.

— Comment je peux ?

— Chaque fois que tu vois une croix, tu dis quelque chose de gentil. Bonjour, par exemple. Ou je vous aime, ou je ne pense qu'à vous faire plaisir.

Cela m'apaisa. Et aussi le signe de la croix qu'elle m'enseigna dans un envol de sa manche, tandis que frémissaient les ailes de sa cornette. Bonne et pratique Marie-Emilienne (que Jean, en raison de ses lourdes paupières, surnomma sœur Marie Store Baissé), elle m'initia au pouvoir du regard sur la blessure, me persuada de la vertu roborative des mots de tous les jours, des clins d'œil, des menus signes de complicité. Grâce à son stratagème, chaque fois que je me rendais à l'église ou à la Maison des Sœurs, quand une croix se dressait devant moi, passé le premier choc qui me faisait frémir comme un chiot devant le bâton, je me signais, puis gardais courageusement au moins vingt secondes les yeux sur le corps labouré, suspendu, les paumes ouvertes. M'efforçant à la bonne humeur, je murmurais très bas des choses comme bonjour, ça va bien ? ou voilà, c'est moi, tu me reconnais ?

Les jours passèrent, les semaines. Cette deuxième manifestation de la mort, comme l'autre, me devint familière. Non que ma vigilance désarmât ou que mes ça va perdissent en chaleur, simplement je m'habituai. Et puis, un jour, l'année où j'arrivai à Nara ou la suivante, j'ai oublié, je fus le témoin d'un crime. La victime était le cochon, un animal qui me plaisait bien avec son nez mobile, ses sabots comme des socques, je trouvais qu'il ressemblait à un baigneur en celluloïd : même couleur, mêmes yeux enfouis. J'étais sûre qu'il grognait de joie à ma vue, je le régalais de noix de gale que je jetais par-dessus les planches de son enclos, nous l'appelions Robinson, Jean disait que les âmes des cochons valaient bien celles des éléphants. C'était l'époque où nous classions les âmes des bêtes, domestiques et sauvages, et moi, j'ignorais encore que Robinson n'existait que pour devenir jambons, boudins, saucisses. Ses cris s'élevèrent à l'heure du petit déjeuner que nous prenions tête à tête, Jean et moi, dans la cuisine, quels cris, je n'avais jamais rien entendu de tel.

— Qu'est-ce que c'est ?

— Robinson, fit Jean, assez pâle.

Trois secondes plus tard, nous étions dehors près de l'enclos du cochon. Il y avait quatre hommes autour de lui qui le tiraient avec des grimaces identiques. Il se débattait, on lui avait lié les pattes et le groin, ses sabots semblaient danser, il faisait très froid et les quatre tortionnaires étaient très rouges sous leurs bérets chavirés. Leurs haleines filaient devant eux, à gros bouillons. Je n'imaginais pas autrement la haine, elle sortait de la bouche des hommes comme un nuage. Vingt mètres plus loin, sous un chêne aussi nu et droit qu'un gibet, on avait renversé une auge et des femmes avec des tabliers noirs et des chapeaux noirs enfoncés jusqu'aux yeux, une bassine serrée sur l'estomac, attendaient debout en plaisantant. Tante Eva se tenait à l'écart, une écharpe sur ses cheveux aubergine. Mais Bonne-Maman semblait présider, elle tenait son face à main bien droit, je songeais qu'elle regardait de la même façon les fleurs, les livres, ses enfants. On tira, on traîna Robinson jusqu'à l'auge. Les hommes le grondaient avec des euh et des hou.

— Tu vas te laisser faire, euh, dis ?

— Hou, tu as fini de nous embêter, sale bête ?

— Tu étais plus sage quand je t'apportais le manger, dit Julienne, la cuisinière.

Dans mon coin, tout près de Jean, je voyais

tourner toute la scène, les femmes, les hommes, l'auge, le cochon. Et le ciel au-dessus, fermé, glacé comme une calotte de métal. Incapable d'articuler un son, je priais. Avec violence. Non, non je vous en supplie, mon Dieu, je ne veux pas, je ne veux pas, je suffoquais. Jean me donnait la main, je l'implorai. Arrête-les, je ferais tout ce que tu voudras, je te donnerai tout ce que j'ai, mais arrête ça.

— Si je pouvais, mais je ne peux pas.

— Pourquoi ? Qu'est-ce qu'il a fait, Robinson ?

— Rien, c'est un cochon et il ne peut plus grossir, c'est tout, allons-nous-en.

— Non, je veux rester avec lui, peut-être que... pourquoi on ne se met pas à crier tous les deux ? Ils auraient peur, les autres, et nous, on en profiterait.

— Pour quoi faire ?

— Pour enlever la corde, tu pourrais, toi. Et il s'échapperait, Robinson, loin loin dans la forêt, il serait heureux.

— Robinson est un cochon, pas un loup. Et puis il est gros, regarde comme il est gros.

La température montait, Robinson se défendait avec frénésie, sa graisse était traversée d'éclairs, il trébucha sur le pied d'un homme et celui-ci répliqua en lui donnant des coups de galoche dans le ventre, puis, comme si cette vengeance ne lui suffisait pas, il lâcha la corde que retenaient toujours les trois autres et courut chercher une fourche dans la grange. Il revint, tout fier de son initiative, et je vis les griffes d'acier sur la croupe de Robinson.

— Attention, dit Julienne, tu vas me l'abîmer, je ne veux pas qu'il saigne de derrière.

Le mot plut. Bonne-Maman participa à l'hilarité générale. Jean répéta allons-nous-en, mais moi je ne voulais pas quitter Robinson. Sentant la mort, des chiens s'étaient rapprochés, on les chassa, ils revinrent. Il y avait Tom, le setter anglais de ma grand-mère, Papillon, un bâtard avec une queue en cor de chasse et d'autres chiens, jaunes, marrons, efflanqués, ivres de sang. Un canard alla nasiller sa solidarité au cochon.

— Qu'est-ce qui t'arrive à toi ? grogna l'un des hommes, tu es pressé ? T'en fais pas, ça sera bientôt ton tour.

On finit par hisser Robinson sur l'auge renversée, les femmes dirent ah, enfin.

— C'est qu'il n'a pas tellement envie de mourir, dit Julienne.

— Dépêche-toi, Julienne, au lieu de faire la drôle, dit un homme, celui qui tenait la tête de Robinson.

— Ça vient, ça vient, dit Julienne.

Elle était pleine d'entrain, je ne la reconnaissais pas. Sur son visage plissé comme une noix, je lisais l'allégresse des gens qui se sentent très importants. Elle s'approcha de l'homme, une bassine dans une main, un couteau dans l'autre. Il y eut un instant de silence. L'airial, les hommes, les animaux, les arbres, tout semblait prendre une respiration, on attendait et Robinson lui-même, cessant de couiner, paraissait se recueillir. On posa la bassine contre l'estrade, un homme pencha la tête du cochon, Julienne avança le couteau, puis, se raidissant, l'enfonça dans la gorge de Robinson, je crus entendre le clac de la peau traversée. Les cris du cochon repartirent, aigus, insoutenables, son oreille ballottait sur sa tête penchée, son nez palpitait comme celui d'un homme qui se noie, je vis couler le sang sur sa peau, un ruisseau presque noir, lent, oh, si lent et qui formait des bulles dans la bassine où il s'égouttait. Tout était perdu, je me mis à courir, Jean me rattrapa. Nous avons passé la journée loin des grandes personnes, dans sa chambre, dans la mienne, dans le grenier, il essuyait mes larmes avec son mouchoir d'écolier, ma peur s'effilochait, fondait dans une douceur oppressante. Derrière mes yeux fermés, je voyais le ruisseau noir sur le cou de Robinson, mais, contre mon cou, il y avait le front de Jean, le frottement de ses cheveux.

— Tu vas mieux ?

Le soir, passant devant la souillarde, nous avons revu Robinson. Il était installé dans la mort, proprement, ignominieusement écartelé, les membres cloués à une grande planche. Ses sabots dressés avaient l'air idiots. Autour de lui, des sourires, une marée de sourires, et des taches de sang sur les mains, les tabliers. Et Bonne-Maman radieuse, la joue fleurie, régnant sur ces sourires et ce sang, offrant un vin des sables que l'on buvait avec des claquements de langue. La mort, la mort, la mort. Comme un mirage, je vis flotter le visage sans os de sœur Marie-Emilienne, ses ailes blanches, elle me disait vas-y, tu as raison, Nina, tu le soulageras. Fendant le groupe des buveurs, je m'avançai vers le cochon. Retenant mes larmes, bien droite, je fis le signe de la croix. Le front, la poitrine, à gauche, à droite, un grand signe, bien lent, bien net, et, d'une voix claire, je dis bonjour Robinson. C'est alors que Bonne-Maman marcha sur moi, vociférant. Cette petite est folle. L'indignation dévorait son visage par plaques violettes. Que m'aurait-elle fait, quelle correction m'aurait-elle administrée si Papa ne s'était dressé entre nous, les bras ouverts ?

Pendant des années, après cet incident, elle m'oublia. Son gros regard ne tombait jamais sur moi quand je m'approchais d'elle pour lui dire bonjour ou bonsoir, elle posait un baiser sec sur mon front et s'adressait à Jean par-dessus ma tête. Ah, te voilà, mon ange, mon soleil. Je m'accommodais fort bien de cette indifférence, Jean affirmait que rien n'était plus désagréable que les caresses de l'aïeule Feuzojou, elle fourrageait dans ses cheveux. Il ne faudrait jamais jamais jamais couper ces cheveux-là, c'est de l'or qu'on détruirait. Elle faisait rouler avec gourmandise l'r de cet or. De l'orrr. Il prétendait qu'elle avait des ongles crochus. Sans blague, Nina, j'ai l'impression qu'elle en a bien plus de dix, elle doit cacher des tas d'ergots sous ses manches, tu ne sais pas ce que ça griffe quand elle pique ses crises de tendresse.

— Non, j'ai de la veine, elle ne pique pas de ces crises avec moi.

J'étais sincère. Ignorée de Bonne-Maman (et tout autant d'Eva Cracra), je vivais en paix, j'avais pour moi la vigilance de sœur Marie-Emilienne, consacrée mon professeur, l'amour joyeux de Jean, celui de Papa. Mais quand ce dernier, quatre ou cinq ans après la mort de ma mère, acheta des chevaux et me mit en selle, le comportement de ma grand-mère à nouveau se modifia. Elle commença par critiquer le jodpuhr que Papa me commanda dans le magasin le plus anglais de Bordeaux. Que c'est disgracieux ces jambes serrées, ces ballons sur les hanches, elle ressemble à un pantin. Puis elle me vit à cheval sur un pur sang couleur de nuage qui répondait au nom d'Allah. Je rentrais à l'écurie, Papa montait un lourd alezan brûlé, Jupiter. Contenant son émotion, il m'avait adressé un compliment fabuleux. Ma fille, ma Nina, tu as tout de ta mère, l'aplomb, la jambe, la main, le mordant aussi, Nina. (Le mordant. J'avais frémi de joie. Ma mère et moi nous étions unies par le mordant. Je donnai à ce mot une signification unique, j'y mélangeai l'audace et l'appétit, c'était comme si, triomphant de la mort, une cavalière aux dents étincelantes m'avait entraînée dans son sillage et, m'inspirant de la rengaine chou genou caillou, j'en inventai une autre, dent mordant ardent maman, c'est mon chant de victoire, mes chevaux le connaissent bien.) Une joie violente devait se lire sur mon visage. Immobile dans la cour de l'écurie, ses mains gantées pendant le long de son corps, ma grand-mère surprit cette expression. Là-haut, sur le dos d'Allah, je reçus le quadruple éclair des yeux et des pendants d'oreilles et le soir-même, à table, Bonne-Maman attaqua.

— Paul, tu devrais surveiller ta fille, elle a une façon de se conduire avec ces animaux.

Je protestai, furieuse :

— Les chevaux ne sont pas des animaux.

Ma grand-mère ouvrit la bouche sans prendre le temps de déglutir, l'indignation fit trembler ses trois mentons et ses dix-huit chaînes, elle finit par crier dans un torrent de postillons :

— Insolente, ce n'est pas à toi que je m'adresse.

— Mais elle te répond très bien, dit Papa calmement, les chevaux ne sont pas des animaux, ce sont des chevaux.

— Alors, qu'elle cesse de les traiter comme... comme des hommes.

Le poing de Papa sur la table fit rouler la salière, Bonne-Maman ramassa le sel, en jeta trois pincées par-dessus son épaule gauche. Elle écumait.

— Tu n'as pas honte ? dit Papa, parler comme ça à une petite fille de dix ans ?

Dévorant sa rage, les joues gonflées, Bonne-Maman tendit vers moi son index crochu, elle bégayait. Regarde-la, mais regarde-la donc. Moi, je pensais à la réflexion de Jean, aux ergots qu'il l'accusait de cacher sous sa manche, je souris. Ma grand-mère criait d'une voix de brûlée.

— Mais enfin, demanda Papa, tu es malade ?

— Regarde, je te dis de la regarder.

Je continuai de sourire, un grand sourire paisible, lent, découvrant sans doute une denture de dix ans, parsemée de trous.

— Mais oui, je la regarde, je la regarde autant que je peux, elle est belle, ma fille.

— Elle est surtout d'une sensualité, c'est... c'est choquant, ça ne te choque pas ? ce sourire, ces mains ? tu ne vois pas ses mains ?

Je ne bougeai pas mes mains croisées, comme on me l'avait appris, sur le bord de la table. Papa était excédé.

— Quoi ses mains ? Qu'est-ce qu'elles ont ses mains de petite fille ?

— Toujours à traîner, toujours à toucher, à caresser.

— Mais tu vois le mal partout.

— Je le vois où il est. Et je te préviens.

— Et je te remercie de me prévenir. Mais tu te trompes. Voilà. Le chapitre est clos.

Elle se tut, non sans faire longuement chanter les chaînes de son corsage. Le soir, Papa me serra dans ses bras et demanda tu veux qu'on s'en aille ? tu veux qu'on s'achète une maison où on vivra seuls tous les deux ? Mais moi, je remuai la tête. Non, non, je ne veux pas, on est très bien ici, qu'est-ce que ça peut faire ce qu'elle dit, Bonne-Maman ? Elle est si vieille et puis tu ne la crois pas, alors ça m'est égal. Pour rien au monde je n'aurais quitté la maison où habitait Jean et même, tout à coup, il me parut merveilleux de supporter cette persécution mesquine en pensant à lui. Ce n'était pas trop cher payer sa présence, le spectacle permanent de sa beauté, notre complicité croissante. Cette scène dans son injustice ne m'avait pas blessée, au contraire. Depuis le dîner, je me sentais grandie, privilégiée, un peu fatale.

— Calme-toi, Papa, elle ne m'a pas fait de peine, je ne l'ai pas écoutée, on est heureux à Nara, restons.

Mais lui s'emparait de mes mains, les tenait devant lui, y appuyait ses lèvres.

— Tes mains, tes mains de petite fille.

II

Jean est parti depuis quatre mois et demi, cent trente-sept nuits, cent trente-huit jours. Sur Nara, il y a eu des pluies, de fortes gelées, des badigeons de soleil vif, le sable a bu, s'est durci, a retrouvé son moelleux. Il y a eu des tempêtes, des ouragans fonçant avec la tête de Moïse au Sinaï, il y a eu des nuits entières de clameurs. Des arbres se sont fracassés ; au matin, j'allais regarder leurs larges plaies oranges, les branches de pin comme des éventails, celles des chênes comme des os brisés, les racines surgies de terre. Ma jument sautait les troncs couchés, elle n'avait pas peur, elle prenait bien son élan, mais moi, je pensais à la guerre et je me disais qu'est-ce que c'est ? A Nara, on a des Allemands, on n'a pas la guerre. Dans presque toutes les maisons il y a des hommes vêtus de vert, bottés de noir, qui parlent poliment à ceux qui les logent, et respectent leur mobilier. Ils ont des voitures, des chevaux, ils vont et viennent, ils ne s'énervent pas. Depuis Noël, ils n'ont pas recommencé une seule fois la farce du cercueil, ils continuent de chanter. Quand on passe devant ce qu'ils appellent le casino, la grande maison de monsieur Dourthe, sur la place en face de l'église, on entend des chœurs ; chez le notaire, Monsieur Malichecq, un officier joue soir et matin du violon ; à la maison, le colonel se met au piano pour un oui, pour un non, passe de Beethoven à Strauss. De temps en temps, il donne un concert. Mélanie doit rassembler toutes les chaises du corridor dans le salon, elle remplit les brocs de cristal taillé et les carafes à goulot d'argent de liquides roussâtres, elle dispose les bouteilles de bière et celles de cognac sur une table recouverte d'une nappe damassée qui traîne jusqu'à terre, mais nous n'y prêtons plus attention. Que voulez-vous ? dit-on, les Allemands ont gagné la guerre et moi je m'interroge encore : la guerre qu'est-ce que c'est ? On pourrait répondre c'est le pain jaune, son goût amer, ce sont l'huile, le sucre et les nouilles qu'on n'achète qu'avec des tickets. Franchement, à la maison, les restrictions n'ont rien de pénible, les Allemands nous laissent une partie du lait, et on s'arrange pour garder des œufs. Bonne-Maman, chaque mois, fait tuer une brebis en cachette (quand ce n'est pas un veau) que Julienne découpe, les yeux brillants, la bouche serrée. Dans un chaudron, tante Eva met à bouillir le suif tiré de la bête, le mêle à de la poudre de talc, de la résine. Une odeur rance roule sur la maison, on reste un jour l'estomac contracté sans beaucoup manger mais, deux jours plus tard, on a du savon, des galettes, d'une couleur et d'un parfum indéfinissables, et qui sombrent résolument au fond de la baignoire. Ce n'est toujours pas ça, la guerre. Ce n'est pas non plus les réfugiés alsaciens qui ont surgi un soir, six mois avant les Allemands, sous les platanes de la place, au milieu de vieilles couvertures et de valises attachées avec des cordes. Leurs bébés avaient des yeux de gentiane (selon Bonne-Maman) on les a logés chez les sœurs, dans de vieilles métairies, ils ont rendu service dans les bois et les potagers puis, avec l'arrivée des Allemands, ils sont repartis. La guerre, en revanche, ce doit être quand même les seize femmes de Nara dont les maris ou les fils sont prisonniers en Allemagne. Elles traversent le village avec des têtes de veuves, sombres, maigres comme des bicyclettes, pressant sur le cœur les colis qu'elles envoient en Allemagne et qui contiennent leurs rations de chocolat et de sucre, des biscuits (guère plus appétissants que les savons de tante Eva), et des pâtés qu'elles achètent aux métayers qui peuvent encore engraisser le cochon. La guerre, c'est aussi le camp de Rocas dans la lande brûlée, à cinq kilomètres de Nara, les Nord-Africains, les Sénégalais, les Malgaches qui vivent derrière des barbelés dans les baraques de bois alignées, je ne sais sur combien de rangs. On les aperçoit de la route, ils portent des seaux, balayent, bavardent, fument. La première fois que je me suis rendue au camp de Rocas, j'ai regardé ces hommes qui vaquaient lentement à des besognes de ménagères, et j'ai trouvé ça stupide, absurde. Pas épouvantable. Tous les dimanches, je vais porter de la nourriture au prisonnier dont je suis la marraine de guerre, un jeune Noir tranquille, Akibou Karabane, né en Côte-d'Ivoire. La rencontre a lieu sous une espèce de préau ; de grandes tables servent de frontières entre visiteurs et prisonniers. Ce qu'Akibou préfère c'est la soupe au chou ; j'en remplis une boîte de fer que je cale avec du papier journal dans l'une des sacoches de ma bicyclette, elle est encore chaude quand j'arrive à Rocas ; Akibou l'avale devant moi avec des mmm soupirés, des sourires. Toutes les filles de Nara ont leur filleul, lui rendent visite, transportent de la soupe ou autre chose (un ragoût, un entremet à la farine de maïs), à l'arrière de leur vélo, elles demandent c'est bon ? Ça va ? et on leur répond par un soupir content. Les sentinelles allemandes qui assistent à ces rencontres sont calmes, elles marchent de long en large, bâillent en regardant le ciel, elles s'ennuient, les prisonniers aussi, moi aussi, Akibou ne se plaint jamais. Durant la semaine, il travaille dans la forêt, aux coupes de bois, il est bûcheron, ça lui plaît assez. Quand il me raconte les arbres qui tombent, il a le même sourire que pour la soupe.

Parfois, la nuit je me réveille et je me dis que loin, très loin, il y a des choses horribles qui se passent mais quoi ? En septembre 1939, Jean m'avait forcée à feuilleter l'un après l'autre les albums que l'on range sur une étagère dans la véranda ; ils sont consacrés à l'autre guerre, à Verdun, aux tranchées, la Marne, tout ça. On croise à chaque page des hommes tapis, on dirait qu'ils attendent que le ciel s'écroule sur eux.

— Jean, tu crois que cette fois-ci ça sera pareil ?

Il m'a raconté l'exode. D'anciens camarades lui écrivaient de Bordeaux, chacun d'eux avait recueilli son sinistré, entendu son lot d'atrocités, revécu un cauchemar à base d'enfants fous, de chiens enragés, de morts oubliés contre un arbre, de matelas sur des chariots, de cages dans des brouettes, de chevaux morts de faim et de soif. Je tapais sur les murs, je criais ne continue pas, jette ces lettres, je ne peux pas en écouter davantage. Nara flottait dans une paix suspecte, en marge du monde. On attendait des réfugiés de Paris, et aussi des pays au nord de la Loire, ils ne venaient pas. Et puis, un jour, les Allemands se sont annoncés. Nous étions à table, Mélanie est entrée dans la salle à manger, les pommettes écarlates. Ils sont là, Madame, ils sont là, on les a vus sur la route de Bordeaux, juste avant Rocas. Bonne-Maman a posé son couteau et sa fourchette dans son assiette, elle a fermé les yeux et joint ses mains boudinées. Seigneur, aidez-nous. Papa a dit, tu permets ? et il s'est levé de table, toujours son air asphyxié, il m'a entraînée dans sa chambre, devant le portrait de ma mère à cheval. Demandons-lui de nous protéger. J'ai dit maman, protège-nous. Sur le visage de la cavalière au canotier je guettais je ne sais quoi, un signe qu'elle nous aurait adressé, j'ai vu danser, je me souviens, un reflet sur la photo, mais nul miracle à ça, c'était un rayon de soleil, l'expression de la cavalière n'avait pas changé, elle restait close, incrédule. Alors je me suis ruée vers l'écurie. Dans ma tête, des images de chevaux éventrés, de chevaux morts de soif, la langue sortie, se bousculaient, je me suis écroulée sur la paille des boxes. Je me rappelle qu'Ouragan, délicatement, a tâté mon épaule du bout de son sabot ; Querelle s'est couchée à côté de moi ; leur chaleur m'a réconfortée, j'ai voulu rejoindre Jean, il était sur son lit, à plat ventre. J'ai envie de vomir, Nina. Je l'ai forcé à se tremper la tête dans l'eau froide. Viens, je veux me rendre compte tout de suite comment c'est fait, un boche.

— Non, ce sont des brutes, ils vont nous rosser.

— Mais on se cachera, viens.

— Non.

Il a fini par m'écouter. Cachés, avec la permission de monsieur Dourthe, derrière la haie de son jardin, lauriers, fusains, bambous, nous avons aperçu nos vainqueurs, ils n'ont pas défilé au pas de l'oie. Il n'y avait ni clairons ni tambours, seulement des voitures, des motos avec des side-cars qui ont fait le tour du village sans esbroufe. Les chevaux de train d'équipage ne paraissaient pas fatigués, ils étaient lourds, puissants, leurs robes luisaient. La caravane avançait vite, s'est disloquée aussi rapidement. Soldats et officiers descendaient de voiture à chaque grande maison, au café Bernède, chez le boucher, chez monsieur Darmaillacq, le maire. Quand ils sont arrivés chez monsieur Dourthe, nous avons filé de nouveau à la maison. Comment tu les trouves ? Terrifiants ?

— Oh non, dit Jean, soulagé, pas terrifiants du tout, ils sont trop mornes pour ça, ce sont des fonctionnaires, nous sommes envahis par des fonctionnaires.

Moi, je les trouvais surtout inélégants. Ce vert, ces bottes en vilain cuir, ces casquettes ridicules, ces casques comme des chaudrons renversés. Des fonctionnaires oui, mais déguisés. Le premier colonel qui s'est installé chez Bonne-Maman avait la nuque raide, le crâne rasé, un nom à tiroirs, des von à la pelle. Son lieutenant jouait du pipeau. C'est Papa qui les a reçus, il leur a fait visiter les chambres. Le soir il m'a serrée dans ses bras. J'ai honte Nina.

— Tais-toi, papa.

Les chevaux n'ont pas souffert de l'occupation. Le premier colonel les a respectés sans histoire, ses officiers ne logeaient pas chez nous, ils avaient leurs propres montures, des demi-sangs plantureux, je crois qu'ils venaient du Hanovre, autrement dit du Kamtchatka (mon ignorance en ce qui concerne les Allemands, j'y tiens. Paresse et superstition. Tant que je ne sais rien d'eux, il me semble qu'ils restent ce qu'ils sont : des visiteurs temporaires, à peine encombrants) et le colonel suivant, l'actuel, surnommé Mains de cire, aurait sûrement adopté la même attitude conciliante, si le cavalier n'avait pas eu l'audace... oh, puis-je dire du mal du cavalier ?

Il est là, derrière moi, je dirige la reprise sur le terrain de manège, à Marotte. Le matin est blanc, d'un blanc bleuté de buvard, c'est la nuance, j'imagine, de la création du monde. A l'automne dernier, les chênes corsiers ont été dépouillés de leur liège, les troncs sont lisses, d'un brun chaud de chocolat, les branches vert de gris, à cause de la mousse. Entre les oreilles de Querelle, je vois vibrer la lumière du pré-printemps ; tout à l'heure, dans les pins, elle a fait un écart, c'était pour rire et, par la même occasion, saluer, je présume, le résinier qui ajustait les premiers crampons aux arbres ; dans la vallée du Fou, elle a saisi à pleines dents des chatons de noisetier, les a mastiqués interminablement ; sur sa lèvre de velours, j'ai vu sourdre une écume verte. Je suis sûre que chaque fois que nous passons devant le champ, à droite du manège, son œil traîne sur le tapis appétissant des pousses de seigle. Nous trottons au long des barrières du terrain, j'écoute le corps de ma jument si intimement lié au mien, rêne droite, pied gauche, nous passons au galop, j'ai l'impression que je peux lui demander n'importe quoi, demi-volte, changement de pied en douceur. Je deviens elle. Elle devient moi.

— Nina.

— Qu'est-ce qu'il y a ?

Je ne ralentis pas l'allure. La tête tournée vers la gauche, je surveille la progression d'Ouragan, il me rejoint — non sans une ruade, il est d'humeur printanière, lui aussi.

— C'est merveilleux, dit le cavalier.

— Quoi ?

— Vous, Ouragan, Querelle, le ciel, tout.

— C'est ça que vous vouliez me dire ?

— Oui, Nina.

Il peut chanter Nina sur tous les tons, je n'en ferai pas autant avec lui. Quel que soit le mal qu'il se donne pour épeler son prénom, je ne le retiendrai pas ; pour moi, il ne sera jamais que l'homme vert du petit matin, le cavalier avec lequel je dois partager mes chevaux, il a surgi de nulle part dans les flocons de l'aube, à Pignon Blanc. Un jour, il s'en ira, sans que j'en sois prévenue. Simplement, à la porte de l'écurie, je verrai un autre homme vert qui, lui, lancera un classique ponchour, accompagné d'un claquement de talons. Je prendrai la piste de sable en direction de Marotte à côté de celui-ci comme à côté de celui-là, nous décrirons des voltes et des demi-voltes, ce qu'il voudra, ce ne sera pas grave, pas plus que maintenant, je n'y réfléchirai pas davantage.

— Vous n'êtes pas de mon avis ?

Quel avis ? De quoi parle-t-il ? J'étais en

train de l'effacer, déjà j'évoquais son départ, son remplacement. Où ira-t-il ? Dans un pays comme le mien, en marge de la guerre ? Dans la noire contrée des batailles, je ne sais où, très loin ? Qu'est-ce que ça peut me faire ?

— Où est-ce que vous irez ?

— Pardon ?

— Où est-ce que vous irez quand vous partirez d'ici ?

— Pourquoi ?

— Je ne sais pas mais... je veux dire, vous allez partir un jour, non ?

— Vous voulez que je parte ?

— Moi ? Mais je ne veux rien, moi, et puis d'abord qu'est-ce que ça changerait si je voulais quelque chose ? Vous êtes bizarre, quand même.

— Bizarre ?

— Oui, bizarre, je ne vous comprends pas. Vous êtes là, tranquille, à cheval, vous respirez, vous regardez le ciel, vous dites c'est merveilleux.

— Mais c'est merveilleux.

— Non, c'est la guerre.

J'ai haussé la voix, Querelle remue les oreilles. Le cavalier a tiré sur ses rênes, Ouragan, du coup, se défend, il a un vilain mouvement de tête, le nez levé. Silence. Nos chevaux sont au pas, épaule contre épaule.

— Vous me détestez ?

Je tourne la tête vers lui. Le soleil est fort, je dois cligner des yeux pour distinguer les traits de ce visage, le nez fin, busqué, et sur la joue droite la ride qui lui fait un sourire un peu de travers. J'écarquille les yeux, la lumière tombe sur lui comme une neige incandescente, ronge le nez, la bouche, la ride de la joue, c'est un mort, c'est la mort qui monte Ouragan dans le paysage désintégré de Marotte. Une tenaille me bloque le cœur. Mon cauchemar, mon cauchemar. L'homme sans visage, est-ce lui ? Je me détourne et, sans répondre, je mets ma jument au trot.

Cet après-midi-là, nous l'avions passé dans la chambre de Jean. Vent du sud. L'air était plus qu'épais, liquoreux, les volets pleins ne laissaient filtrer aucune lueur. Je m'étais allongée sur le plancher, ça sentait l'encaustique de bruyère, Jean était sur son lit, torse nu, il lisait, tout haut, *Tess d'Urberville*, je trouvais ça passionnant. Si c'est ça l'Angleterre, Jean, la campagne verte, les chênes géants, le gui qui se balance, si c'est le Val de Blackmoor, quel joli nom, et les hérons qui font un bruit de portes claquées, l'été, à l'aube, quels étés, quelles aubes, quels personnages, si c'est ça l'Angleterre, je partirais bien là-bas, un jour, pas toi ?

— Oui, oui, un jour, nous partirons.

Nous partirons, il l'a dit, il l'a dit il y a six mois à peine, *nous* partirons. Le traître.

— Quelle andouille, cette Tess qui déteste son cousin.

— Oh, Nina, tu es un cas.

J'avais sauté sur le lit. *Tess d'Urberville,* du coup, avait volé sur le plancher. Vers six heures, nous avions pris des maillots de bain, gagné la vallée du Fou et marché dans le ruisseau, entre les berges encombrées de menthes en fleur et de feuilles d'iris ; l'eau ne dépassait jamais le haut de mes cuisses, les genoux de Jean. Près d'un petit barrage, nous nous étions baignés et nos ventres touchaient le fond de sable blanc. Un peu plus loin il y avait un lavoir, des planches obliques sur le ruisseau, toutes grises et usées, si douces, nous nous étions couchés l'un près de l'autre, et nous avions attendu le moment où le soleil coule derrière les pins (seule surnage, au ras des fougères, une écume corail).

— Admire le chromo, dit Jean. Paysage typique : un coucher de soleil dans les Landes du Marensin, il ne manque qu'un berger, sa peau de mouton, ses échasses... J'en ai marre, pas toi ?

— Pas du tout.
— Tu n'as aucun sens critique.
— Autant que toi.
— Tout à l'heure, tu rêvais du Val de Blackmoor.
— Je rêvais, c'est permis, c'est la guerre.
— Oui, la guerre, quelle barbe.
— Tu veux que je te dise quelque chose ?
— Vas-y.
— La guerre, je m'en fiche.
— Pourquoi tu dis ça ?
— Parce que c'est vrai. Je me fiche de la guerre puisque tu es avec moi.

Il avait soupiré de nouveau : tu es un cas, Nina. C'est ma dernière image de bonheur. A partir de cet instant tout s'abîme et se gâte, les taches pleuvent sur cette journée lumineuse, nous sommes rentrés à la maison pour trouver les soldats allemands à moitié nus sur la pelouse, près des magnolias. A grands renforts de glapissements, ils s'aspergeaient avec le tuyau d'arrosage et, dans le crépuscule torride, c'était comme si l'on avait souillé mon plus beau souvenir : un petit garçon à la peau caramel, une gringalette en culotte, l'un douchant l'autre, et la passion surgissant, entre eux, comme un soleil. Au lieu de passer indifférente à distance des soldats, je m'étais attardée, j'avais examiné les peaux blafardes, les poils sous le jet, écouté les aouch, raouch et autres cris de guerre que, d'habitude, je n'entends même pas, bref je m'étais livrée aux mauvais pressentiments. Quelques heures plus tard, Vincent Bouchard frappait aux carreaux de la véranda.

— Hello, dit-il avec l'accent de Bordeaux.

Il portait un pantalon de toile blanche, une chemise assortie ; sur ses épaules, négligemment noué par les manches, un chandail en grosse laine neigeuse, même ses sandales étaient blanches. Il avait dû changer de tenue juste avant d'arriver. Contre un arbre devant la porte, je voyais luire les chromes d'une bicyclette de course, guidon cornu, selle haussée ; sur le porte-bagage, un sac oblong maintenu par deux tendeurs en croix. Immaculé, sportif, terriblement anglais, Vincent n'avait pas l'allure d'un cycliste, plutôt celle d'un tennisman, je l'imaginais bondissant jusqu'au filet, à longues enjambées aériennes, pour y serrer la main d'un adversaire que tant d'élégance déconcertait.

— Qu'est-ce qui t'amène ? demanda Jean.

Vincent eut un geste théâtral vers le rectangle de nuit et le squelette chromé. Son bras décrivit un demi-cercle et vint s'abattre sur les épaules de Jean.

— Je suis venu parler affaires, dit-il, jovial.

— Affaires ? reprirent en chœur Bonne-Maman et tante Eva.

— Affaires ? sans blague ? dit Jean.

Je me souvenais bien de Vincent Bouchard. Jean l'avait rencontré au collège de Tivoli, à Bordeaux, ils avaient passé leur bachot ensemble, les parents Bouchard habitaient le Pavé des Chartrons. Outre leur propriété dans le Gers, ils possédaient une villa sur le bassin d'Arcachon. A deux reprises, Vincent était venu à Nara et je m'étais moquée de lui, c'était un adolescent trapu, des cheveux d'un noir bleu, un teint de bohémien et quels yeux. A la fois fixes et brûlants, bordés de cils raides, dans la lumière, ses yeux ressemblaient à des taches de rouille, dans l'ombre, à des flaques de boue. La-dessous, un nez court, apparemment sans cartilage et une bouche impressionnante : des lèvres gonflées, pâles, mais doublées d'un rouge de viande crue. J'avais dit il est affreux, il a l'air d'un chien. Bonne-Maman m'avait sèchement signalé qu'avec mon physique j'aurais mieux fait de me taire. Le chien avait grandi, maigri, il dépassait Jean d'une demi-tête et dans ce costume blanc, j'étais bien forcée de le reconnaître, il ne manquait pas de chic en dépit de son sourire sauvage.

Il était parti de Rauze à bicyclette, l'avant-veille.

— Pauvre jeune homme, vous devez mourir de faim dit Bonne-Maman. Voulez-vous un œuf ? Du ragoût de mouton ?

— C'est de la brebis, dit tante Eva, mais on jurerait du mouton.

— Vous avez soif, sûrement. Voulez-vous du vin de sable ?

— Du Tursan blanc ? Un cousin nous en envoie contre du maïs.

— On se procure des tas de choses avec du maïs.

— Vous préférez peut-être du café. Dites, c'est un produit maison : un mélange de seigle et de châtaignes torréfiés.

— Tu oublies les graines du lupin. C'est ce qui se rapproche le plus du café, le lupin.

— Et le maïs ?

— Ah, oui, le maïs.

Elles étaient comme deux pintades. Affairées, volubiles. Et le faux tennisman se laissait faire. Installé dans la salle à manger provisoire, sous les portraits de Napoléon et de ses généraux, il engloutit l'œuf, la brebis en ragoût, le Tursan et, pourquoi se serait-il gêné, le café au lupin. Bonne-Maman remplissait son assiette, son verre, lui coupait des tranches de pain jaune. Ses chaînes d'or dansaient, son face-à-main semblait voler. La bouche pleine, le garçon lui donnait la réplique.

— Pas mal du tout, votre lupin. Je connais des gens qui font du café avec de l'églantine.

— On pourrait essayer.

— Et la mayonnaise à la farine de marron d'Inde, vous avez essayé ?

— Et la salade de chardons ?

— Et les pousses de fougères ?

— Et le sucre de citrouille ?

— Nous utilisons le sucre de raisin, fit Bonne-Maman avec une nuance d'humilité dans la voix.

— Et le savon ? vous savez fabriquer du savon ?

— Un peu, répondit tante Eva, rayonnante.

— Et la colle à l'ail ? reprit Vincent Bouchard.

— Quelle imagination. La colle à l'ail.

— Pour coller quoi ? Les Allemands contre le mur ? Pour qu'ils soient bien mignons, bien sages ?

Ma première réplique. D'une voix contenue par la rage. Des yeux rouillés de Vincent Bouchard, par-dessus son verre de vin, tombaient sur moi mépris et hostilité. Nerveuse, Bonne-Maman pianota sur la table, entre les petits plats dressés pour l'intrus, et tante Eva (experte en détricotage et retricotage) tira sur la laine d'un chandail lustré qui se trouva, d'un seul coup, amputé d'une manche. Jusqu'à Jean qui me gratifia d'un : tu te crois drôle ? sans appel. Je me faisais l'effet du cochon Robinson, tout le monde contre moi. Et puis Papa arriva, il salua Vincent Bouchard sans chaleur, l'examina furtivement. Au premier coup d'œil, je vis qu'il ne lui plaisait pas, il se rangeait de mon côté. L'épreuve dura huit jours, j'aimerais pouvoir, avec le recul du temps, ironiser sur ces jours, les plus longs de ma vie, les plus misérables, la blessure est trop récente, je n'y arrive pas. Vincent était un bavard de la pire espèce, il savait tout : les projets des Allemands, la vie des Anglais, leurs plans, la suite des événements. Arrogant, péremptoire, il ne pouvait pas se tromper, les secrets de la guerre il les détenait comme il détenait la recette de la colle à l'ail, de la mayonnaise au marron. Eva et Bonne-Maman étaient suspendues à ses lèvres, je m'expliquais facilement leur attention béate : en même temps que Nostradamus, elles applaudissaient le riche fils Bouchard, mais Jean ? Son fameux sens critique, parlons-en, jamais je ne l'avais vu ainsi, ligoté, fasciné, s'engouffrant dans toutes les visions que, sans scrupules, lui proposait cet imposteur de Vincent, les dépassant aussi pour chevaucher en vrac ses rêves personnels, sa littérature. A l'Angleterre sous les bombes, il faisait vite succéder la verte campagne de Tess (ce fut son dernier clin d'œil dans ma direction), d'autres campagnes, puis, Londres, ses quartiers élégants, ses monuments. Il savait tout, des noms compliqués s'échappaient de sa bouche dans la luxuriance de leur prononciation, il ne m'avait jamais raconté tout ça, ces rues, ces personnages, ces monuments. Bonne-Maman et tante Eva le regardaient, médusées ; moi, j'avais l'impression de me noyer. Au bout de trois jours, Jean était bel et bien passé en Amérique, la guerre était carrément oubliée, la campagne de Tess aussi et les beaux quartiers de Londres, il se promenait dans des plantations de coton, au pays où la terre est rouge, en compagnie d'inconnus très nombreux. La terre est rouge, Nina. Il disait Nina machinalement, il ne me voyait pas. Bonne-Maman et tante Eva ne l'écoutaient plus qu'avec l'expression gavée des convives à la fin d'un banquet. Alors il donna un coup de frein. Le sixième jour, il revint sur terre. Avait-il fini par remarquer que Vincent, pour l'appâter, disait n'importe quoi, encourageait toutes les divagations, ou bien la guerre, celle qu'il connaissait par les albums de la véranda envahit-elle la campagne verte, Londres, New York et la terre rouge ? Il changea de visage, haussa les épaules, murmura : nous rêvions. Mais Vincent se cramponna, égrena le chapelet des calamités inévitables. Jean apprit qu'il n'était qu'un inconscient, un somnambule et que, s'il ne se décidait pas à agir, il passerait dans la catégorie des pauvres types. Son châtiment ? oh, il n'y couperait pas : sur le dos, mais oui, tu n'y crois pas ? tu verras, sur le dos l'uniforme vert, tu m'as bien entendu, l'u-ni-for-me-de-la-Wermacht (il disait Veurmârt, toujours l'accent de Bordeaux), le doryphore, ça s'étend. Bonne-Maman le trouvait magnifique, ce raseur, elle répétait après lui : le doryphore, ça s'étend. Parfois, je profitais d'un silence pour demander une précision, une date, on m'envoyait promener, le baratineur repartait dans son délire. Même chose pour Papa. Posait-il une question tant soit peu teintée de scepticisme, la vague passait sur lui, l'écrasait, et Vincent Bouchard se redressait face à la seule personne qui l'intéressât : Jean. Se croyait-il encore libre, par hasard, Jean Branelongue ? S'était-il rendu à Bordeaux depuis l'occupation ? A Paris ? Non, bien sûr, il avait préféré regarder la cime des pins rouler sous le vent, mais lui, Vincent, avait séjourné à Bordeaux, et sa sœur vivait à Paris. Là-bas, plus personne n'était libre. Tu roupilles, mon vieux Jean, réveille-toi, je t'en conjure, tu as dix-neuf ans, moi vingt, nous ne pouvons attendre davantage, partons. Il disait partons dix fois par jour. Le septième jour, j'en eus assez, il était monté se coucher, je frappais à sa porte.

— Pourquoi vous ne partez pas tout seul ?

— De quoi vous mêlez-vous ?

— Vous avez peur de partir seul ?

Pour se donner une contenance, il se mit à

mordiller l'ongle de son pouce, cela masquait sa bouche, je ne voyais que ses yeux.

— Allez-y, chuchota-t-il, videz votre sac, qu'est-ce que vous me reprochez ?

— Pas grand-chose, mais quand même...

— Quoi ?

— Eh bien, voilà, c'est sûrement vrai ce que vous racontez.

— Seulement...

— Seulement, c'est embêtant que ce soit vous qui le racontiez.

— Pourquoi ?

Il m'aurait étranglée, je parlais lentement :

— Ce n'est pas votre faute, remarquez, si vous avez cette tête. Quelle tête. Quand on voit votre tête, on n'a pas confiance.

Il me repoussa dans le corridor et ferma, d'un coup sec, puis à clef, la porte de sa chambre. Lorsqu'il partit le lendemain, il ne me salua même pas. Tu auras de mes nouvelles, dit-il à Jean. Moins d'un mois plus tard, un homme, qui ne se nomma pas, remit à mon cousin une lettre de sept pages. Vincent était entré en contact avec des gens épatants, très sûrs, l'un à Toulouse, l'autre dans l'Ariège, tous deux s'occupaient de faire passer (je cite) ceux qui ne voulaient pas demeurer des esclaves dans le camp des hommes libres. Vincent leur avait parlé de Jean, tout pouvait s'arranger très vite mais il fallait qu'il vînt le rejoindre en zone libre, à Rauze, le plus vite possible. Contre ce flot de tentations, je luttai, comme je pus, avec mes armes ; amour, ricanements, amour encore et encore ricanements. Mais, par la faute de Vincent Bouchard, Jean avait découvert qu'au fond il s'ennuyait peut-être, à Nara. Il attendit quinze jours avant de donner sa réponse. Quand, finalement, il écrivit sur une carte postale : Suis d'accord pour partie de campagne, il me sembla que les yeux de ce chien de Vincent Bouchard brillaient partout dans l'ombre et qu'ils se vautraient sur moi, triomphants.

C'est la guerre sur Nara, sur Mourlosse, sur Pignon Blanc, partout. Dans les champs, à la place du seigle, du maïs, il y du coton, on me dit que c'est du coton, mais moi, je ne vois qu'une espèce de neige qui fond à vue d'œil et la terre qui apparaît est rouge sang. Au fond de tranchées disposées comme les bancs dans une école, des soldats dorment, les yeux ouverts, ils sont noirs comme Akibou Karabane, comme les Nègres dans les romans américains de Jean, je leur crie : réveillez-vous, c'est la guerre, ils ne bougent pas, une voix murmure : ils sont morts, la voix enfle, un écho lui répond. Ils sont morts, ils sont morts. Alors, miraculeusement, sur la terre rouge, s'étendent, comme un grand tapis, les prés verts de la campagne anglaise, je vois Tess d'Urberville, elle ressemble à Jean, elle a ses yeux violets, elle marche à grands pas, se retourne sans cesse, derrière elle j'aperçois son cousin, lui aussi marche vite. Tess porte une capeline de coton rose, le cousin les pantalons blancs de Vincent Bouchard, il halète, il tire la langue, c'est une course interminable, affolante. Tess perd son chapeau, Vincent est sur le point de la rejoindre, mais l'homme de mes cauchemars prend leur place, il surgit parmi les *aougues* avec ses bottes et son visage sans traits, il avance, et le paysage se transforme de nouveau : voici la terre sanglante découpée en tranchées et les Nègres immobiles avec leurs yeux glacés, vides. L'un d'eux remue encore, l'homme aux *aougues* s'approche de lui, le Nègre est un cheval, c'est Querelle couchée sur le dos, les antérieurs pliés, sa tête bat de droite et de gauche, elle souffre.

— Nina, réveille-toi.

Papa est debout près de moi, il frotte ma joue, je m'arrache à mon rêve.

— Papa ?

— C'est Querelle.

Est-ce que je rêve encore ? Je tire sur mes cheveux pour me réveiller tout à fait, je ne rêve plus, Querelle est malade, Papa n'arrivait pas à s'endormir, il a entendu taper. Dans la nuit, des coups sourds, de plus en plus rapprochés. Il a couru à l'écurie.

— Qu'est-ce qu'elle a ?

— Des coliques, j'ai peur. Allah en avait eu, tu te souviens ? C'est grave.

Si je me souviens ? Tandis que j'enfile n'importe quel tricot par-dessus mon pyjama, je revis une nuit d'épouvante, j'avais onze ans, le cheval Allah donnait de grands coups de tête contre la paroi de son box, il s'était même blessé. Sur le chanfrein, une vilaine plaie, étoile de sang au milieu de la liste neigeuse. Le sang, la neige, mon rêve. Un malaise m'étreint, les entrailles des chevaux sont si fragiles, délicates. Presque-noire tu ne vas pas mourir ? Papa ressemble à un clown avec sa veste boutonnée de travers, son pyjama qui dépasse et le chandail qu'il a entortillé comme un cache-col, ses cheveux gris forment un brouillard autour de son visage fatigué. Nous sortons de la maison sans nous préoccuper de ceux qui dorment, je dévale l'escalier, je claque les portes. Dehors, la nuit de mars est pure, haute, blanchie à grands traits de ruisseaux d'étoiles, est-il possible que le malheur arrive par une nuit pareille ? A l'écurie, Querelle n'est pas couchée comme dans mon rêve, mais, réfugiée au fond de son box, les fesses écrasées contre le mur, elle frappe le sol de l'antérieur droit, relève un sabot maculé de terre, gratte, s'acharne. Sa tête a changé. La peau tendue sur un réseau de veines saillantes, l'œil morne, voilé, elle mastique dans le vide, c'est comme si l'on avait déréglé le rouage que j'aime, le muscle qui relie le larmier à la mâchoire. Sur le chanfrein, d'habitude lisse et fardé de châtain autour des naseaux, je vois des traces de meurtrissures ; elle a donné du front contre son box, sûrement, comme Allah. L'écurie n'est pas plus rassurante que les champs rouges dont je rêvais, l'ampoule électrique qui pend du plafond se balance dans un courant d'air et son maigre rayon lèche les trous des murs, paraît en creuser d'autres. Effrayés, Lilas et Ouragan tapent contre leurs boxes. Taisez-vous, idiots, Querelle qu'est-ce que tu as ?

— Elle a très mal, n'est-ce pas ?

— Il va falloir appeler le vétérinaire.

— Ce crétin ?

Oui, ce crétin plutôt que rien. Plutôt que rien ce vieil ivrogne de Fandeou qui prendra une heure, sinon deux, pour arriver depuis Capdebrigue et qui, une fois ici, racontera interminablement comment il s'est débrouillé pour mettre son gazogène en marche. Je téléphone quand même. La voix de la préposée que je carillonne à la poste me parvient après une éternité, endormie, brouillée ; quand je finis par obtenir à Capdebrigue le numéro réclamé, j'apprends que le docteur n'est pas là, il est parti il y a dix minutes pour Labouheyre. Je me demande comment je n'ai pas brisé l'appareil en raccrochant. A l'écurie, Querelle ne va pas mieux, au contraire. Son œil n'est plus morne, mais fou, elle grimace, couche les oreilles, les relève, les couche encore, retrousse la lèvre supérieure, sourire horrible, dents verrouillées, elle ressemble à un cannibale. Des plaques de sueur envahissent l'encolure, la couverture est tachée, la fièvre monte. Papa lui parle doucement. Querelle, petite belle. Il tient son licol à deux mains. Moi, je m'affole, je passe mes songes en revue, c'est une habitude que m'a donnée sœur Marie-Emilienne, elle affirmait qu'il faut débarbouiller sa nuit comme son visage. Quand elle me trouvait bizarre, le matin, avant de me faire réciter mes leçons, résoudre mes problèmes, elle m'obligeait à reconnaître les ombres qui avaient traversé mon sommeil. Cherche, disait-elle, cherche, il ne faut rien laisser aux ténèbres, ni les couleurs que tu as vu briller, ni les envies qui te sont venues, ni les larmes, ni les colères, ni les peurs. Que penserait-elle de l'homme aux *aougues ?* de sa figure inhabitée, gommée, de son pas qui m'épouvante ?

— Papa, va vite chercher sœur Marie-Emilienne.

— A cette heure-ci ? Nina, tu es folle et puis je n'ai pas le temps, il faut agir tout de suite, donner un lavement à la camomille.

— Il n'y a pas de camomille à la maison, la sœur en aura, elle a de tout, elle sait tout, elle nous aidera, va vite la chercher, je t'en supplie.

Il s'engouffre dans la nuit, je reste seule avec ma jument. De toutes mes forces j'abaisse sa tête contre moi. Tape-moi si tu veux, tape mon ventre, pas le bois. Une électricité file à travers mon corps, Querelle est une fournaise, qu'est-ce qui l'habite ? Qu'est-ce qui la tourmente ? Il y avait une petite fille qui s'appelait Nancy, elle avait onze ans comme moi. Un jour, on nous annonça qu'elle était devenue *breugue,* ça veut dire un peu folle, elle refusait de parler et restait assise sur une chaise basse contre la cheminée de la cuisine ; à la tombée de la nuit, elle poussait des cris perçants et grimpait aux arbres comme un chat. Sœur Marie-Emilienne décida d'aller se rendre compte si c'était vrai, toutes ces histoires, elle m'emmena avec elle chez Nancy, deux ou trois kilomètres dans les pins, il faisait bon, c'était en juin, les fougères étaient hautes. Au bout du chemin, Nancy nous accueillit avec des cris et des crachats. Elle s'accrochait à une sapinette, tout en haut, et ses parents l'insultaient. Tu verras quand tu seras à terre la raclée que tu prendras... Sœur Marie-Emilienne était blanche comme sa cornette, elle toisa le père de Nancy (un gros, le béret de travers) et sa mère (à trente ans, une vieille, grise, les dents ébréchées).

— Taisez-vous, vous voulez... vous voulez, qu'elle meure ?

Ils se turent, et sœur Marie-Emilienne se planta sous la sapinette et dit très haut : Nancy, descends, et Nancy descendit, telle une acrobate au long de sa corde lisse, elle poussait toujours des cris de bête, sa petite figure luisait, la sœur l'attrapa, je les vis lutter, enlacées, contre un vent imaginaire ; sous les vastes manches croisées, on apercevait le front diaphane de Nancy, ses yeux noyés, inhumains. Sœur Marie-Emilienne avait pris la voix des vêpres. Esprit impur, je te l'ordonne, esprit impur, sors de cette enfant... Les yeux fermés, je me suspends au licol de ma jument, sa souffrance devient volcan, s'épanche, elle se défend avec folie, esprit impur, sors, esprit impur.

— Nina.

Ce n'est pas Papa, c'est le cavalier, je me retiens de lui crier foutez le camp, c'est votre faute, tout est votre faute, la guerre, Jean, et maintenant Querelle. Il est en uniforme. Vert dans la lumière verte.

— Qu'est-ce qu'elle a, Querelle ?

— Papa dit que ce sont des coliques, moi je dis que c'est la mort. La mort, vous entendez ?

— Je vais vous aider.

— A quoi ?

— A l'empêcher de mourir.

Toujours ces phrases lentes, pompeuses et cet accent de cinéma. Qu'il s'en aille, qu'il me laisse.

— Laissez-moi, laissez-nous.

— Non.

Il enlève la couverture trempée de sueur et, tirant sur la longe, parvient à écarter la jument du mur, il ramasse de la paille et la bouchonne. Elle se détend un peu, sa tête reprend une position normale ; sans réfléchir, j'imite le cavalier, je frotte les flancs, le poitrail visqueux, brûlant, la croupe. Querelle a des sursauts, elle donne des coups de pied que nous esquivons de justesse, lance sa tête douloureuse comme pour l'écraser. La nuit ramène la sœur et mon père. Ils ne sourcillent même pas à la vue du cavalier. Bonsoir, dit Papa. Bonsoir, répond l'autre, avec une brève inclinaison du front. Sœur Marie-Emilienne flatte l'encolure poissée de Querelle, elle sort de sa poche une boîte en fer blanc.

— La camomille. Où est le... l'instrument ? Je vais tout préparer dans la cuisine.

Papa a retrouvé la grande seringue qui avait servi pour Allah. Il la tend à la sœur, un peu gêné.

— Ne faites pas cette tête-là. Dites-moi plutôt combien de litres d'eau vous allez lui mettre dans le corps.

— Six, sept litres, répond Papa. Et tièdes, ça suffit.

— Bien.

Elle s'en va, nullement gênée, la seringue sous le bras. Le vent de la nuit, sur le seuil de l'écurie, gonfle son voile, je la revois disputant Nancy à un autre vent, fou, absurde, je suis résolue à sauver Querelle. Nous continuons de la frotter, nous luttons, Papa et moi, et le cavalier lutte avec nous, il a cessé de me faire horreur et même il ne m'énerve plus, il se désincarne. Là, par-dessus le dos de ma jument malade, je vois flotter une tête que je ne hais pas, qui existe à peine ou plutôt qui n'existe qu'en fonction de notre effort. Papa a pris le couteau de chaleur, il le tient par ses deux poignées, comme un hachoir, il râcle la sueur devenue écume sur le flanc de Querelle, mais elle nous échappe, bascule, s'effondre sur le dos, se roule, les antérieurs pliés comme dans mon rêve, le ventre gonflé, souillé de traînées blanchâtres. Elle étire l'encolure et contemple d'un œil tragique ce ventre qui lui fait si mal.

— Vite, il faut la relever, crie Papa.

J'essaye la persuasion. Les bras noués autour de sa tête, j'implore ma jument. Lève-toi, presque-noire, lève-toi. Mais elle n'entend que la douleur sauvage qui rayonne dans son ventre et la tenaille et la métamorphose en gargouille. Papa et le cavalier la bousculent pour la contraindre à se lever. Papa tire sur sa queue, le cavalier, de toutes ses forces, la verse sur le côté, puis sur le ventre, elle se hisse sur ses jambes, cette fois elle me fait penser à un crabe.

— Voilà, tout est prêt pour l'opération.

Sœur Marie-Emilienne est revenue, elle porte les instruments de supplice, seringue et bassine remplie d'une eau jaunâtre. Un parfum de reposoir tourne au-dessus de l'odeur des litières. Afin de l'immobiliser, le cavalier soulève l'antérieur droit de Querelle, le maintient plié. Papa et la sœur échangent des ordres brefs. Oui, comme ça, doucement. Le sol est éclaboussé, je ne regarde pas trop ce qui se passe, le clystère planté dans le cul de ma jument, je suis aussi humiliée qu'elle. L'opération est longue, ponctuée de bruits. Enfin, Papa dit voilà, c'est terminé, et il suggère d'étendre de la paille sur le dos de Querelle, de remettre une couverture. Elle doit évacuer le poison, il faut qu'elle marche, rien n'est pire pour elle que ce box, cet enclos où elle passe d'une immobilité de statue à la fureur. Le cavalier va chercher de la paille fraîche au fond de l'écurie, en rapporte une brassée, une autre. La sœur m'aide à placer une couverture sur le dos de la jument, vite une sangle, il ne faut pas serrer, seulement que ça tienne. Querelle se débat, la paille glisse, s'éparpille, la sangle tourne, la couverture s'effondre, on recommence une fois, deux fois, trois... A trois reprises, Nancy avait échappé à l'étreinte de la sœur, nous étions quatre pour la rattraper, nous sommes quatre pour empêcher Querelle de se détruire. Autour du mal, c'est un cercle de force qui nous isole du temps et du reste du monde, nous devenons les habitants d'une île nommée Querelle, vie de Querelle. Papa guide la jument vers la porte, il tire, nous poussons, les mains du cavalier sont à côté des miennes.

— Marche, Querelle.

— Marche, presque-noire.

Nous débouchons sur le grand airial, derrière la maison. Pas un bruit, pas une lueur. Ni Bonne-Maman ni tante Eva ne s'inquiètent (et pourtant elles se doutent sûrement de ce qui se passe.) Qu'elles restent dans leur île à elles, derrière leurs murs, Querelle n'est pas encore sauvée. Mais elle nous a obéi. Dans la nuit de Nara, elle marche, elle est raide, disloquée, mais elle marche. Nancy avait fini par s'endormir dans les bras de la sœur, le sang était remonté à ses joues ; nous étions restées très tard assises sous la sapinette, écoutant sa respiration régulière ; le père et la mère pleuraient en silence. Querelle marche, nous marchons avec elle, aussi lentement, nous tournons en cercle dans l'obscurité, nous tournons, l'heure tourne elle aussi, le pas de Querelle s'assouplit, elle se défend de moins en moins. Au bout de quelque temps (combien de temps?) nous ne sommes plus que deux à la faire marcher. Tantôt Papa et moi, tantôt le cavalier et moi, tantôt le cavalier et Papa. Sœur Marie-Emilienne s'est adossée au mur de l'écurie, elle a joint les mains sous ses manches, son visage en forme d'œuf est levé vers les étoiles, ses lèvres bougent.

— Ma sœur, écoutez, je fais un rêve, le même, très souvent, un homme, il me poursuit, il n'a pas de visage, c'est le malheur n'est-ce pas ? Pour la jument et puis après pour moi, pour tout le monde ?

— Donne-moi la main.

Sa main rêche, rassurante. Comme sur l'encolure de Querelle, comme sur le front de Nancy. Je m'effondre un peu, je désigne, du menton, le cavalier qui passe.

— Le malheur, c'est cet homme-là ?

— L'Allemand ?

— C'est lui, n'est-ce pas ?

Elle ronchonne.

— Mais non, lui, c'est un Allemand, c'est tout.

— C'est tout ?

— Bien sûr. Et cette nuit, je l'ai trouvé très dévoué.

Dans l'ombre, nous voyons Querelle brusquement se figer, le fer de ses sabots tinte contre des cailloux, elle lève la queue et nous entendons gicler le poison de ses entrailles, je me précipite. C'est fini, Querelle, c'est fini, tu n'auras plus mal. De son bras tendu, le cavalier redresse la couverture, la maintient sur le dos de la jument. La nuit s'écaille, les arbres s'arrachent à l'ombre, la maison s'approche de nous, paisible, Papa m'embrasse. Je me laisse aller, j'enfouis ma figure dans son chandail, je me réfugie, j'entends sœur Marie-Emilienne qui dit c'est bien normal, après des émotions pareilles. Quand je me redresse, c'est le bras du cavalier tendrement posé sur le dos de Querelle que je vois en premier.

Jamais Jean n'a caressé un cheval, je crois même qu'il n'en a jamais touché un seul de sa vie. Il était, bien entendu, à côté de moi quand on débarqua notre premier cheval, Allah, du van dans la cour de l'écurie. Je débordais d'excitation, je ne pris pas la peine d'analyser la grimace sur son visage, il avait douze ans. Le soir, il m'avoua qu'Allah lui avait beaucoup déplu. Pouah, ces grands yeux écartés, ces dents jaunes, les poils follets autour de sa bouche, non je ne l'aime pas, ce cheval, Nina, on dirait une vieille fille grognon, tout à fait madame Roujaire. Madame Roujaire était la couturière de Nara, elle sentait le cachou, la lustrine et suçait des épingles. Rien à voir avec Allah le superbe, sa crinière en comète et son pas allègre, dansant, je protestai. Tu dis ça pour me taquiner, tu n'es pas sincère, Jean.

— Je suis très sincère, je n'y peux rien, il m'est antipathique, ce canasson.

Il afficha les mêmes sentiments pour tous les chevaux qui succédèrent au beau pur-sang gris, leur trouva des ressemblances qui me faisaient bondir. Je contenais ma colère, tentais de décrire les sensations que j'éprouvais, le fleuve de force entre mes jambes, l'impulsion, née de ma tête, glissant, mercure, lumière, de mon corps dans celui du cheval attentif. Et la joie, oh, Jean, quelle joie, les chevaux c'est la joie, avec eux on devient quelqu'un d'autre, tout ce qu'on connaissait avant, ça devient petit et, tiens, même, ça devient pauvre.

— Pauvre, c'est ça que tu as dit ?

Je fermai un instant les yeux pour être sûre de moi, du mot que j'avais choisi, je le répétai :

— Oui c'est ça, pauvre.

— Tu es drôlement méprisante, tu sais, dit Jean, et tu prononces pauvre comme l'aïeule Feuzojou.

Je reçus la douche sans broncher, mais me le tins pour dit. Jamais Jean n'aimerait le cheval, jamais je ne l'entraînerais à partager mes fièvres du matin. Mon cerveau de dix ans enregistra l'événement comme un échec, une victoire du clan Feuzojou-Cracra contre celui de nous formions, le Nina-Jean. Je surpris le triomphe dans leurs sourires pincés et devinai leurs réflexions : au fond c'est une bonne chose et même une bénédiction, ce sport de sauvages, ça les sépare... Quand elle est sur le dos de ces animaux, elle n'est pas à ses trousses. Dédaignant ces messages aussi clairs que malveillants, je renonçai du jour au lendemain à parler cheval en famille. Quand, quelques années plus tard, le palefrenier Séverin, pris de goutte, se retira, plié en deux, dans sa maison, je priai papa de me laisser le remplacer, mais me gardai soigneusement d'en faire part à la maison. Dès qu'il s'en aperçut, Jean se moqua.

— Alors tu es passée nounou ?

Bonne fille, je fis l'effort de raconter — aussi discrètement que possible — l'aube, les chevaux surpris dans leurs derniers songes, leurs odeurs nocturnes, l'étrille sur leurs flancs, au chant du merle. Il eut un sourire fugace et me parla du merle. Tu entends le merle chanter ? Ma pauvre fille, tu as une drôle d'oreille, le merle siffle, à la rigueur il flûte, il ne chante pas.

— Ah, bon.

— Et le geai ? Tu l'entends chanter, le geai ?

— Oui, justement, dans la vallée du Fou.

— Malade du tympan, le geai ne chante pas, lui non plus, il cajole. Confondre cajoler et chanter, à quatorze ans, Nina, j'ai honte pour toi.

Là-dessus, un silence qui dura jusqu'à l'année dernière en septembre. Un matin, je rentrais d'un long travail sur Querelle, j'étais rompue, affamée, et Jean lisait sous la tonnelle. Je vins vers lui, m'étendis sur le sable et dis j'ai faim. Il demanda :

— Tu es sûre que tu reviens de faire du cheval ?

— Qu'est-ce que tu as, Jean ?

Il eut un rire faux.

— Oh, moi, je n'ai rien, moi, je vais bien. Mais toi, ma vieille, tu devrais te voir, ces yeux creux, cet air béat, on dirait...

Je secouai son bras, je ne riais pas, pas du tout.

— Vas-y, finis ta phrase, qu'est-ce qu'on dirait ?

Il bâilla, un long bâillement étiré, pas sincère pour un sou.

— Devine... ou demande à l'aïeule Feuzojou.

Je ripostai par une bourrade et une grossièreté à l'adresse de ma grand-mère, il ne répondit ni à l'une ni à l'autre, il bâilla encore et me conseilla d'apaiser ma faim au plus tôt. Mais je n'avais plus faim, j'avais froid.

III

Je devrais le tuer. Je devrais profiter de la nuit pour frapper à sa porte, il doit dormir, je l'ai entendu se coucher tout à l'heure, bruit de bottes qu'on enlève, son tire-bottes grince un peu, à peine, il faut que je tende l'oreille pour saisir le bruit suivant, comme un soufflet, celui du pied qui se dégage de la botte. Après, c'est la pose des embauchoirs en trois temps, en trois morceaux de bois. L'anneau accroché au bois du milieu tinte, cling, tinte deux fois, cling cling, et voilà les bottes devant la cheminée. J'entends aussi le bruit des semelles sur le marbre. Ensuite il s'est lavé les dents, il s'est gargarisé, mais discrètement tout ça, très discrètement. Cette brute qui saccage mon sommeil est un voisin de chambre plein de tact, je n'arrive pas à comprendre l'ordre dans lequel il se déshabille, où met-il son pantalon et où sa tunique ? et que lit-il avant de s'endormir ? Je préférerais m'arracher un ongle plutôt que d'interroger Mélanie à ce sujet ;

qu'est-ce que ça peut me faire ce qu'il lit, ce sauvage ? Je devrais le tuer, je frapperais à sa porte, une grêle légère que personne d'autre dans la maison ne percevrait, ni le colonel Mains de Cire — qui est pourtant bien nerveux en ce moment —, ni Eva Cracra, ni Bonne-Maman dont la méfiance traverse les murs depuis le tour que je leur ai joué (j'ai disparu pendant huit jours sans donner d'explication). Je comprimerais de mes deux mains les battements de mon cœur tandis qu'il sortirait de son lit et viendrait à la porte. Ecoutez, ouvrez-moi, c'est moi, Nina, je n'arrive pas à dormir, j'entends des pas sous mes fenêtres, j'ai peur de rôdeurs, et si c'était des terroristes ? Il ouvrirait, j'entrerais, je verrais sa chambre, le plancher en pente, le lit de campagne à montants de noyer (les draps sont brodés au chiffre de ma grand-mère, un S et un B entrelacés), la glace sur l'armoire qui transforme en nain, en poussah, la lampe à crémaillère, son poids en forme d'œuf, son abat-jour en forme de brioche. Lui, je le veux, je l'exige, il serait le poussah le plus laid du monde : cheveux bêtement rabattus sur les tempes, yeux gonflés, humides, ailes du nez luisantes. Ses pieds nus seraient blancs avec des poils sur les orteils. Je répéterais et si c'était des terroristes ? Il y a des terroristes à Paris, le type qui a tué un officier à Paris, dans l'escalier de je ne sais plus quel métro, vous ne pensez pas que c'est un fou ? Vous ne croyez pas qu'il peut y avoir un fou de cette sorte à Nara ? Je m'arrangerais pour tendre vers lui un visage angoissé, je l'implorerais. Prenez votre pistolet, vous en aurez besoin. Il m'obéirait sans discussion, sans protester. Il chargerait son pistolet, posément, la main gauche maintiendrait la crosse, la droite tirerait sur la culasse, ça glisserait comme un tiroir. La balle apparaîtrait, presque rose dans son berceau d'acier. Hop, ça se refermerait tout seul, alors, doucement, doucement, il rabattrait le chien en appuyant sur la détente, tout serait prêt, il n'aurait plus qu'à armer, puis, l'index droit recourbé, à tirer. Tirer ? qui tirerait ? Lui ou moi ? Moi, je commencerais par insister. Venez dans ma chambre, c'est là qu'on les entend. Il passerait peut-être sa tunique, nous nous faufilerions l'un derrière l'autre dans le corridor, les mains en avant pour repousser d'éventuels obstacles, évitant de longer les murs pour ne rien bousculer, attentifs à ne réveiller personne, ni occupés, ni occupants que la nuit à cette heure confond dans une bouillie de membres las, de bouches entrouvertes, de secrets ignobles ou pitoyables. Ma chambre offrirait le même spectacle que la sienne, lit-bateau, plafonnier-gâteau, plancher en pente et, dans la glace, la même arrivée de poussahs fripés, stupides. Je sursauterais avec toute la duplicité voulue, vous entendez ? et je demanderais, pleine de sang-froid, confiez-moi votre pistolet, juste une seconde, je vous en prie, je n'ai jamais touché un pistolet de ma vie. Je suis persuadée qu'il ne me refuserait pas et moi, pendant un instant, dans ma paume, je tiendrais la mort, j'évaluerais son poids, je dirais c'est lourd quand même ou bien tiens, c'est plus léger que je ne l'imaginais. Je vois le mouvement de ma main soupesant ce pistolet, une série de petites secousses paisibles, réfléchies, oui, c'est ça, je réfléchirais, les sourcils froncés mais l'air inoffensif, je commenterais aussi. C'est beau cette crosse, on dirait du caramel, en quoi est-ce fait, en quelle matière, vous savez ? Et regardez, comptez les ailes sur votre pistolet, c'est un Luger, un P. 38, je me trompe ? Il y a une aile au bout du canon, une autre au bout de la culasse, c'est le chien, le chien est une aile, c'est drôle n'est-ce pas ? et là, sur le côté, la pièce de sécurité qui glisse de S à F, c'est une aile encore, F c'est pour feu, je pense, comment dit-on feu en allemand ? et puis tout à trac, je lui parlerais cheval. Quel est votre plus beau souvenir de cheval ? Alors, viendrait son tour. Son français solennel, les phrases qu'il polit interminablement. Je ferais semblant de l'écouter, je hocherais la tête mais je ne penserais qu'à la mort, SA MORT, j'imaginerais, toutes les félicités dont je le priverais, le dépouillerais pour toujours, les trottings des petits matins, les canters en plaine, en forêt, les sauts par-dessus un arbre couché, un fossé inattendu, tous ces mouvements qui font le sang plus rapide, l'âme plus allègre, cette somme d'élans et d'envols, je les verrais se briser net, se fracasser, se réduire en cendres au bruit du P. 38. Trois balles que je tirerais, une, deux, trois, les deux mains cramponnées au pistolet qu'il aurait été assez bête pour me confier, visant ses jambes pour être certaine d'atteindre son cœur ou son ventre. Le recul est si violent, si je visais son cœur, je risquerais de crever le plafond, je veux son cœur, quand tirerais-je ? à quel signe ? Une mouche qui se promènerait sur l'abat-jour ? La bulle de salive qui se formerait sur sa bouche tandis qu'il raconterait ? Non pas ça, pas ça, autre chose : j'attendrais que, de la main droite, il frotte son avant-bras gauche, c'est un geste qu'il a souvent quand il cherche ses mots. Oui, son bras, ce serait sa condamnation. Je serrerais les doigts sur le P. 38. Vite, de la main gauche j'armerais, facile, je réciterais tranquillement ma petite leçon. Attention, pour atteindre le cœur, viser bas, il y a neuf balles mais trois suffiront. Tandis qu'il s'écroulerait, je déchirerais le haut de mon pyjama, il faudrait bien expliquer aux autres, au colonel, à Papa qu'il est entré chez moi. Je dirais qu'il a voulu me violer sous la menace d'un pistolet. Je parlerais, parlerais, la voix blanche, de plus en plus blanche et lui, devant la glace, il ne serait plus poussah, mais tas sanglant, et moi, je me retrouverais libérée de ce cavalier qui se faufile et s'étale sur toutes mes nuits, sur tous mes songes, depuis que je suis revenue de Rauze.

Rauze. Ma bicyclette était couchée, une roue en l'air, au bord du fossé, sur la route, et moi j'étais assise contre la haie d'un jardin, à l'ombre de lilas. Le domaine de la Viole, je pouvais le voir dès que je me levais, il allait jusqu'à cette tour, là-bas, comme un doigt dressé sur l'horizon, il comprenait toute la vallée qui me faisait face, gaufrée à cause des vignes, lisse à cause des prés. Il y avait aussi un verger, un ruisseau en S, une allée de sapins : on aurait dit le jeu de l'oie, c'était l'opulente propriété des opulents Bouchard. Ma montre marquait toujours l'heure allemande, je la retardai. Côté liberté, de l'avis du soleil qui arrosait tout le paysage, il n'était que cinq heures, nous étions le sept mai mille neuf cent quarante-deux. Cinq jours plus tôt, un officier allemand avait été abattu en plein Paris, au métro Clichy, le colonel Mains de Cire avait convoqué Papa pour lui parler de ce crime, il criait. *Un grime.* Et ça résonnait dans toute la maison, Papa ne répondait pas, Mains de Cire avait l'air menaçant, il tapait du pied. Papa ne répondait toujours pas, il ne changea rien à nos plans, il me conduisit lui-même, dans sa Peugeot à gazogène, jusqu'à Mont-de-Marsan, chez son ami Amédée Boisson, un passionné de courses et de concours hippiques. Il m'aimait bien, monsieur Boisson, il paraît que, l'année de mes deux ans, à califourchon sur son genou, je montrais déjà de singulières dispositions pour le cheval, alors il accepta gentiment de me faire passer la ligne de démarcation avec lui, dans sa Juvaquatre bien connue des Allemands (comme il est maire de Gillac, un village en zone libre, et comme il est en même temps commerçant à Mont-de-Marsan, il a un *ausweis* permanent). Papa était très ému en me quittant. Je vous la confie, Amédée, je n'ai qu'elle au monde. Il transporta le cadre et les roues démontées de ma bicyclette dans la Juvaquatre et puis il me prit dans ses bras. Jure-moi que tu seras revenue la semaine prochaine. Il me parlait comme à Querelle, en mesure, et il tapotait ma nuque, mon dos. Je te jure, Papa, dans huit jours je serai ici, devant ce comptoir. Monsieur Boisson me donna une fausse carte d'identité, je devins Nina Boisson, sa nièce de Bordeaux, et sur mon *ausweis* il indiqua que je relevais de bronchite, que j'avais besoin de campagne. Viens, ma nièce cavalière. Il mit un bras autour de mes épaules, nous sommes sortis du magasin en même temps que Papa, mais, dans la rue, nous nous sommes aussitôt séparés. J'ai regardé le brouillard de cheveux autour du visage de mon père, le dos voûté, les leggings. La Peugeot fit demi-tour en direction de Nara, je me suis retournée pour lire une dernière fois le numéro 2153 HU 2, sous le cratère enfumé du gazogène. Monsieur Boisson me souriait de tout son grand profil gascon, sourcil-chenille, nez demi-lune, menton-presqu'île. Tout se passera très bien, sois tranquille. J'étais tranquille, je me sentais protégée, portée par des parfums, fraîcheur et pourriture, alliage de la terre gavée par les trois rivières de Mont-de-Marsan et du lilas qui voguait, blanc, bleu, pourpre, de jardin en jardin, de mur en grille. Quand on quitte les pins, on trouve le lilas. Je respirais, pour un rien j'aurais chanté, nous sommes arrivés au poste de contrôle sur la route d'Aire-sur-Adour. Derrière leurs barrières, les soldats de garde étaient joufflus, rêveurs, mais ils ne rêvaient pas de l'officier tué au métro Clichy, plutôt de confits de canard et d'Armagnac. L'un d'eux étira un grand sourire, offrant au soleil le rayonnement de deux canines d'or, il soupesa ma natte comme si c'était également un métal précieux. *Cheuneu Mademoiselle.* Monsieur Boisson joua le jeu à fond, parla de ma bronchite, toussa pour m'inciter à faire de même, invoqua des courants d'air inattendus, enfin me repoussa vivement dans la voiture. Tu vois, c'était facile. Arrivé à Gillac, chez lui, il m'a fait boire un verre de vin de framboise. Prends des forces, tu as encore trente-quatre kilomètres avant d'arriver. J'ai récité les noms des bourgs que je devais traverser, Bascom, Cazeaurade, Pugron. Le vin de framboise avait un goût délicieux, nous avons remonté mon vélo, vissé les roues au cadre, taché nos vingt doigts à la chaîne. Ah, les cavaliers sont de piètres mécaniciens. Il a regonflé les chambres à air, la vieille pompe grinçait. Tous ces bruits, ces gestes, ces préparatifs, la framboise dans ma gorge : je sentais mon destin à côté de moi comme une ombre. J'ai embrassé monsieur Boisson. En selle et au petit trot, ne te fatigue pas, ce n'est pas comme chez toi par ici, ça monte et ça tourne. J'ai pédalé dans un rêve, les bornes kilométriques dérivaient à ma rencontre, les potagers, les champs, les charmilles, le lilas, toujours le lilas. Je sais que j'ai croisé des cyclistes, quelques voitures, très peu, des enfants en tabliers d'école, des femmes vêtues de noir, des chevaux de labour à lourdes jambes velues. Je n'ai jamais demandé mon chemin. Dans les villages je sentais des yeux traîner sur moi, ma longue natte, la valise sur le porte-bagage, je n'ai pas regardé les figures en-dessous, c'était comme une aile qui me frôlait au passage, ces yeux, une espèce de salut, un encouragement, et voilà, je suis arrivée à ces lilas sur la route de Rauze, à quatre pas de Jean. J'allais le retrouver mais il ne le savait pas, j'ai frappé du pied la roue de mon vélo, c'était une roue de loterie, qu'allait-il m'arriver ? Comment serait-il ? J'ai sorti de ma poche la carte postale qu'il m'avait envoyée le 2 mai pour mes dix-huit ans. Elle représentait la tour de la Viole (XVIIe siècle), Rauze, Gers. Pour la millième, la dix-millième fois, je l'ai relue. Heureux anniversaire, Nina, j'ai tant de choses à te raconter, tu me manques... Partout dans le ciel, sur les vignes, les sapins, les prés, je voyais courir en troupes, en vols serrés, comme des oiseaux fous, comme les flocons d'une neige plus folle encore et scintillante, ces mots-là : tu me manques tu me manques tu me manques.

Le secrétaire albinos m'avait remis la carte postale de Jean directement, pour une fois ;

d'habitude, il porte le courrier à tante Eva. Sans réfléchir, je lui avais serré la main, il a des mains très soignées, les ongles brillants — on dirait des feuilles de monnaie du pape, et des poils argentés sur les bras. Quand j'entre un peu brusquement dans la cuisine, je vois ces bras qui rampent, espèces de bêtes lumineuses, sur les épaules de Mélanie. Monsieur Otto, monsieur Otto, vous n'y pensez pas, un monsieur ne fait pas des choses pareilles. Elle a l'indignation folâtre, Mélanie, une rubéole soudaine gagne son cou, elle rit. Ce matin-là, j'avais ri d'aussi bon cœur que Mélanie, pour un peu j'aurais embrassé monsieur Otto, messager de bonheur, j'aurais approché ma figure de la sienne qui doit sentir la mie de pain mouillée. Je m'étais ruée dans la chambre de Papa, il m'attendait, un écrin à la main, c'était le collier de perles de ma mère. Heureux anniversaire, ma Nina. Je ne connais rien aux bijoux, aux perles, mais dans ma main, le collier avec son fermoir en brillants luisait doucement, il avait éclairé le joli cou droit de mon amazone de mère, sa peau de vivante, c'était comme si, de part et d'autre de la mort, nous nous faisions signe. Le collier de ma mère. La carte de Jean. Des morceaux de souvenirs glissaient les uns sur les autres, des phrases roulaient vers moi, quotidiennes, magiques. Tu as soif ? Tu as faim ? Tu veux une bouffée de ma cigarette ? Tu es bien ? Tu veux qu'on relise l'arrivée d'Estella dans les *Grandes Espérances* ? Et les patineurs sur l'étang gelé d'*Orlando* ? Embrasse-moi les dents. Viens, on va jouer à regarder nos yeux de tout près, c'est drôle, Nina, je vois des bulles pâles dans tes yeux, comme sur du café, tu as des yeux de café, voilà... Je ne voulais pas me laisser aller, je serrais les paupières sur mes yeux de café, Papa venait d'étaler sur le couvre-pied de son lit des photographies de ma mère, je les connaissais toutes, mais quelle importance ? Son index volait d'une photo à l'autre, il ouvrait lui aussi les vannes secourables de sa mémoire et tout se précipitait en vrac, son grand amour, ses souvenirs, cristaux furtifs, brins de lumière arrachés à l'encre de sa nuit, de sa solitude.

— Regarde, Nina, regarde-la à Nice. Et là, à Genève, que dis-tu de sa position ? Son cheval s'appelait Moby Dick, ça t'amuse ? Et là, sur cette jetée, à Biarritz, en robe pour une fois. Elle venait de gagner l'épreuve la plus difficile, le prix de la Côte d'Argent, la coupe est dans ta chambre, il y avait une énorme rivière à sauter, ça m'affolait, sa jument s'appelait Falaise, une perle mais quel démon, ah, si tu les avais vues sauter la rivière, un spectacle étourdissant, cette petite femme et cette jument terrible, elles avaient l'air de planer. Après la victoire, nous sommes allés au casino, elle avait bu un Manhattan, c'est un cocktail rose-brun, exactement la couleur des fougères fanées, il y a une cerise au fond du verre, elle avait bu son verre en trois gorgées et puis elle avait croqué la cerise. Elle était pompette, oh, elle était la gaieté même.

Il était méconnaissable, rajeuni de vingt ans, le sourire en coin, je l'aurais écouté jusqu'à la fin de la nuit. Bien au-delà de la rivière de Biarritz, dans mon ciel à moi, la jument Falaise planait, et la petite femme brune qui posait en robe de mousseline sur la jetée-promenade, j'avais l'impression qu'elle aussi, elle allait se mettre à voler, elle semblait si légère, elle avait l'expression malicieuse propre aux conquérants. Pompette. Le mot me plaisait. Et l'amour alors. Que je l'aimais, l'amour de mes parents, caverne dont j'étais le voleur, source dont j'étais le poisson, et vie le frémissement. J'étais l'enfant de l'amour, Papa me l'avait répété mille fois, il me le redit ce jour-là, non sans solennité. Tu es l'enfant de l'amour, tu sais, Nina. Et moi, j'avais demandé :

— Et Bonne-Maman n'approuvait pas, dis ?

Il s'était levé. De nouveau triste mais pas accablé, au contraire, redressé par une colère qui mettait du noir dans ses yeux lavés.

— Ta grand-mère détestait ta mère sans la connaître. Il faut que je te dise, que je t'avoue. Ta mère, je l'avais enlevée, elle était mariée quand je l'ai connue. A un homme très convenable, un militaire. Mais, je sais que tu comprends, l'amour se moque de ce qui est convenable, et des militaires encore plus. C'était à Pau, en avril, tout de suite ce fut trop tard.

— Tu l'as enlevée...

J'étais éblouie. A la vision d'amour qui m'était familière, voici qu'il ajoutait une dimension fabuleuse. Il avait enlevé ma mère, je les imaginais galopant sur le même cheval à travers les Basses-Pyrénées, les Landes, la Gironde, le reste de la France. Le militaire laissé pour compte ne me tracassait pas, il était convenable, très convenable. Papa le décrivit sans le plus petit soupçon de mesquinerie :

— Il portait beau, grand, des bottes superbes, toute une collection qui venait droit d'Angleterre, il avait un nom à triple décrochement, écoute, ne ris pas : Bertrand de Crevel de Broquetin d'Epine. Et un château classé, en Poitou, avec des oubliettes. Quand il apprit son... son infortune, il voulut rendre sa dot à ta mère et lui donner son cheval, un grand escogriffe qui tirait comme un treuil. J'ai dit non merci.

— Et Bonne-Maman ?

— Ta grand-mère a refusé de recevoir ma femme. Elle m'a écrit qu'elle mourrait de honte si elle devait dire à ses domestiques : voici madame Paul, c'était la femme d'un autre. Ta mère ne m'en a jamais reparlé, nous n'avions pas le temps de discuter de choses tristes, nous étions trop occupés avec les chevaux, toi, le bonheur, quel bonheur, Nina. Mais à la fin... à la fin, quand elle a su qu'elle allait partir...

— Oui, Papa.

— ... elle m'a fait jurer de t'emmener à Nara, elle n'avait pas de mère, elle croyait que la mienne t'aimerait, elle répétait je veux qu'on l'aime, ma petite fille.

Il tremblait, ses mains tremblaient parmi les photos un peu cabossées, un peu jaunies, certaines cornées, d'autres avec des taches, des traces de larmes sans doute, sûrement, je grelottais d'émotion, un vol d'images tourbillonnait dans ma tête. La rivière, le cocktail, le collier de perles et la robe de mousseline que soulevait un vent de mer. Et cinquante petites femmes brunes que la mort, autre vent, soulevait, happait. Là-dessus, passait comme un laminoir le regard gelé de l'aïeule Feuzojou. Je mourrais de honte si. Mes domestiques. Tes domestiques, abominable Feuzojou, tu n'avais pensé qu'à tes domestiques. Je comprenais la malveillance de ma grand-mère à mon égard, elle avait dû mourir de honte quand Papa était revenu à Nara, tenant par la main l'enfant de son amour, l'enfant qu'il avait eu avec *la femme d'un autre*... J'avalai ma rage, à quoi bon l'étaler ? Je voulais suivre l'exemple de la cavalière qui avait affronté la mort comme la rivière du concours hippique, calme, de face, deux coups d'éperon, et en avant.

— Papa, tu vas m'aider. Moi aussi j'aime. C'est un amour comme le tien, comme celui de Maman, grand, immense et beau aussi, tu sais.

— Oui, je sais.

Il m'avait offert son secret, ses souvenirs de lumière et puis sa peine irréparable, je lui confiais, en échange, ma nouvelle espérance, je me servais de son amour pour retrouver le mien, je le faisais le gardien de mon bonheur et c'était un cadeau. Je ne pouvais en mettre de plus beau dans ses bras qui, la nuit, n'étreignaient plus qu'un fantôme.

— Il faut que tu m'aides à le retrouver, Papa. Et puis après, il faut que tu m'aides encore, que tu m'aides tout le temps.

— Compte sur moi.

J'étais rassurée, j'avais un allié de taille,

l'homme qui avait enlevé ma mère à son militaire si convenable, ce Bertrand de de de.

L'allée de sapins avait au moins trois cents mètres, la tour du château de la Viole était flanquée d'un chèvrefeuille, gros bras qui s'allongeait sur la pierre, hérissé, odorant, je respirai et je vis Jean. Il me sembla que ma bicyclette, silencieuse jusque-là comme une chenille, fit un bruit effroyable. Sous les pneus, le sol de l'allée crissa, j'eus l'impression qu'il se déchirait, les deux garde-boue carillonnèrent, un autre visage se tourna vers moi. Je reçus comme une volée de boue le regard de Vincent Bouchard, mais, sous le chèvrefeuille, Jean me sourit, je le jure.

— Nina, oh, Ninafolle.

Il était sur une chaise longue en rotin, vautré, les bras flasques sur les accoudoirs. Il se leva et contourna le fauteuil de jardin où Vincent, posé de trois quarts, avait l'air de se pétrifier. Il ne se pressait pas, mais il ne cessait de me regarder, de me sourire, et moi je suppliais Dieu, la vie, le destin, d'arrêter l'instant, je voulais revenir en arrière, glisser à reculons vers l'autre bout de l'allée de sapins, retrouver les lilas sous lesquels j'avais inventé les couleurs de notre revoir. Je voulais refaire le chemin vers lui, compter tout fort, n'importe quoi, par exemple, les fleurs en forme d'insectes du chèvrefeuille, je voulais qu'il redît Nina, qu'il attendît surtout avant de me toucher, qu'est-ce qu'il toucherait d'abord ? Je ne bougeais pas plus qu'un morceau de bois, j'avais posé ma bicyclette contre le dernier sapin de l'allée. Pour me donner une contenance, je mis une main sur le guidon, je portais des chaussures neuves à semelles de bois et une jupe à plis qui remuait dans le vent pourtant bien faible, je pensais à ma mère sur la jetée de Biarritz et m'efforçais d'imiter son attitude, le cou dressé, conquérant. Jean avançait, il ne fut plus qu'à trois pas de moi, à deux, à un, il portait une chemise bleue, le col ouvert, une ceinture en peau de porc que je ne connaissais pas, des pantalons de toile blanche comme ceux de Vincent, je ne songeais pas à m'en irriter. Dans un seul mouvement, il posa ses mains sur mes épaules, je ne fus plus qu'épaules, tout mon sang sous ses mains. Je dis d'une voix qui me semblait appartenir à quelqu'un d'autre :

— Bonjour, Jean.

Il m'embrassa, je vis se balancer la tour de la Viole et onduler le bras fleuri du chèvrefeuille.

— Nina fringuée comme une dame... qu'est-ce qui t'amène ?

— Devine.

— Et tu as passé la ligne de démarcation ?

— Je me suis débrouillée.

Vincent s'était rapproché, il me contemplait de bas en haut.

— Elle s'est débrouillée. Mais comme c'est touchant. L'âme des cousines est un gouffre.

Je fis comme si je n'avais pas entendu. Du menton, je désignai le chèvrefeuille :

— C'est beau.

— Viens, on va te faire visiter, dit Jean.

— Vous avez l'intention de rester ? demanda Vincent.

— Huit jours, c'est possible ?

Il hocha sa grosse tête brune :

— Huit jours pour un gouffre, c'est modeste.

Jean répéta viens et il attrapa ma natte. Ses doigts glissèrent sur le serpent de cheveux tressés, puis vinrent se fixer sur ma nuque, je me sentais soumise, éperdument. Vincent se joignit à nous et aussi deux grands chiens à museaux pointus, à longs poils mordorés, des colleys d'Ecosse, me dit-il, Bérénice et Balthazar, ils sont plus beaux que des chevaux, ce n'est pas votre avis ? Non, ce n'était pas mon avis, mais je répondis oui peut-être, d'un ton poli, indifférent. Je marchais, guidée par Jean. Le parc de la Viole n'était pas tracé au hasard comme le jardin de Nara, il y avait des massifs en losanges, avec des myosotis, des sauges, des buissons de seringas, les allées étaient régulières et, sous les tilleuls très hauts, l'herbe était une fourrure bien verte, bien drue, je pensais aux trous et aux pelades dans l'herbe de Nara, je dis qu'elle est belle cette herbe, et Vincent s'écria :

— Elle trouve l'herbe belle, elle trouve la maison belle, pour un peu elle me trouverait beau. Elle est métamorphosée, la cousine.

Son rire rouge. J'aurais dû frissonner, mais je n'avais aucune envie de chavirer sous les mauvais pressentiments, nous marchions, tout semblait doux, facile, le crépuscule glissait sur les arbres et le parc soigné de la Viole. Au fond d'une allée, j'aperçus le paysage découvert depuis le bord de la route, les vignes, le verger, les prés. Vincent s'éloigna, il jouait avec ses chiens, leur lançait une balle de tennis qu'ils rapportaient tour à tour, sans se battre. La guerre ? Comment croire à la guerre dans ce décor englouti sous la paix ? Comment croire à l'horreur ? au mal ?

Je me lèverai, je frapperai à sa porte, c'est moi Nina, ouvrez-moi, il ouvrira : cette partie du programme ne changera pas. En revanche il sera moins ridicule que je ne le voulais tout à l'heure, moins laid, moins bête, et il me regardera comme il m'a regardée quand je suis revenue de Rauze, c'était au début de l'après-midi, il faisait lourd pour la saison. Sur le front de Papa, à côté de moi, dans l'auto, je voyais perler la sueur. La Peugeot s'est arrêtée près de l'écurie, j'ai bondi, ils étaient là dans la pénombre fraîche, les trois chevaux bien soignés, bien pansés, la crinière lisse, Ouragan et Lilas continuant de broyer leur fourrage et Querelle, les oreilles droites, tournant vers moi sa tête fanatique, sa liste-perle, son œil si brun qu'il en devient violet. Lui, il était assis tout près d'elle, sur la paille de la litière, le menton pris dans ses genoux repliés. Nina. Il est resté un instant écrasé dans son coin et puis il s'est levé, vite, comme on s'élance, je l'ai trouvé très grand. Chère Nina. Quel imbécile, il prononçait *chèreu* Nina, je n'étais pas capable de lui rire au nez, alors j'ai dit bonsoir aussi distraitement que possible, b'soir, j'ai enfoui mon visage sous la crinière de ma jument. Il parlait, il racontait les chevaux, l'état de leur santé, le travail de la semaine, c'était minutieux, bourré de chiffres, il avait mesuré l'avoine, la durée des sorties, j'écoutais vaguement, un mot sur dix, un mot sur vingt, plus rien, l'odeur de Querelle m'accaparait — quand viennent les beaux jours, c'est la forêt tout entière qu'elle rapporte sous sa robe. J'ai soufflé dans ses naseaux, contre ma bouche je sentais palpiter la chair tendre et humide qui s'enroule à cet endroit comme un coquillage, du poing j'ai séparé les palissades de ses hautes dents, j'ai attrapé sa langue, son haleine était chaude comme le vent du sud, je l'ai caressée. Ses chemins de caresses, nous les avons décidés toutes deux depuis si longtemps. Il y a le chemin sec et droit que je trace de l'ongle sur son chanfrein, celui de l'auge, couloir triangulaire qui va du menton à la gorge, et celui de la gorge, duveté, élastique, et celui que m'enseigna mon père, sur la figure, le chemin des creux et des bosses, qui épouse les salières, les yeux, les apophyses zygomatiques, je le parcours de la paume, lentement, les apophyses ressemblent à des tatouages de guerrier bantou, je traite Querelle de bantoue, de presque-noire-zygomatique et je lèche sous la crinière, à la crête de l'encolure, le chemin dont le goût varie avec les saisons. Cet après-midi-là, il avait goût de la fleur du genêt, et je pensais que, dans cette vie qui m'était si précieuse, fleuve et sève, vie-de-Querelle, je connaissais une quantité de petites vies séparées et battantes et odorantes et savoureuses et je tremblais de la peur d'en perdre une seule, de l'envie de les saisir toutes à la fois, de les étreindre, d'être étreinte, mon corps pensait plus vite encore que moi. Le ventre collé au flanc de ma jument, ma bouche sur le chemin parfumé au genêt, je brûlais, je souffrais d'un mal bien plus violent que la faim, plus confus, rayonnant, j'étais comme la Nancy de mon enfance, possédée, des rubans de lumière glissaient sous mes paupières closes. Comme des fleurs blêmes et vigoureuses, les grands mots défendus tournaient, et celui-ci plus fort que tous les autres : le désir. Le DESIR. C'est alors que, relevant la tête, j'ai croisé le regard du cavalier, il se tenait adossé à la paroi du box, en face de moi, de l'autre côté de la jument. Comme la nuit où il m'avait aidée à lutter contre la mort de Querelle, je ne voyais que le haut de son uniforme vert, le col noir, le cou étroit, le visage maigre et grave. Ses yeux ne bougeaient pas, une lumière les habitait, un cristal, j'ai plongé dans ce cristal, je me suis roulée dedans, cela dura, fleurs, lumières, la faim, le désir, cela dura, dura, et puis soudain il a quitté l'appui du box, fait le tour de la jument, calme, sans cesser de me regarder, mais sans sourire, je n'ai pas bougé. Agrippée à la crinière de Querelle, je suis restée enchaînée à son regard, à la double flaque de cristal qui avançait dans l'ombre de l'écurie, il s'est approché de moi, je n'ai pas reculé, il s'est encore approché, j'ai retenu un peu mon souffle, sa main a effleuré ma joue. A l'intérieur de mon corps, il y a eu bourrasque, mais je n'ai même pas tressailli, il a caressé mon visage, comme j'avais caressé Querelle, le front, la joue, la tempe, le cou que je redressais, l'attache de mon bras. De l'ongle et de la paume, il m'a caressée, je ne me suis pas défendue, il m'a détachée de Querelle et je me suis retrouvée contre lui, il ne sentait pas mauvais, l'uniforme vert ne puait pas la peste, et le visage qui descendait sur le mien descendait bien, doucement, tendrement, j'ai vu s'engloutir à ma rencontre le cristal, la peau sombre, le nez en bec, la bouche. Et la bouche a écarté mes dents, j'ai accepté la tiède et bouleversante intrusion, la salive étrangère qui se mêlait à la mienne. A mon tour, j'ai goûté à la peau de ce visage tendu, j'ai retrouvé le goût de Querelle, genêt, fougère, je me suis abandonnée à ce goût, à ces gestes, à ces bras, leur étreinte. Mon corps, si douloureux quelques instants plus tôt, flottait dans une joie miséricordieuse et vive, et j'ai laissé embrasser mon corps, à travers la robe, mes épaules, ma gorge. Il s'est agenouillé pour embrasser mon ventre, l'un de ses bras encerclait mon dos, l'autre enserrait mes jambes, il avait l'air de prier, quelle prière ? J'ai repris conscience à ce moment-là, surmonté joie et bourrasque, j'ai retrouvé ma peine, ma honte, et j'ai pensé voilà ce à quoi j'ai droit, voilà mon dû : la tête d'un boche sur mon ventre. J'ai repoussé le cavalier, arraché son bras de mon corps et j'ai couru hors de l'écurie, vers la maison, c'est très désagréable de courir avec des semelles de bois.

Eux, ils ne parlaient que des brodequins (Vincent prononçait *breudequins*, toujours l'accent de Bordeaux) achetés au passeur lors de leur troisième tentative pour gagner l'Espagne (ils glissaient sur les deux précédentes, elles avaient raté pour des motifs futiles : une fois, de l'argent perdu ; l'autre fois, Jean avait attrapé la grippe). Nous étions dans le salon de la Viole, une immense pièce d'angle. Sur tous les murs, des trophées de chasse : têtes de chevreuils empaillées, le cou tendu, l'air stupéfait, le nez raccourci par les mites ; pieds de cerfs dotés d'épitaphes en cuivre (que c'était triste, ces sabots fins comme des chaussons de danseuse, alignés par trois, par quatre, pour quel ballet vertical et absurde ?), il y avait même, disposées en X, deux gigantesques cornes noires (le père de Vincent, m'expliqua-t-on, les avait rapportées d'Afrique ; son portrait en pied servait de trumeau à la cheminée monumentale, il y arborait le sourire de son fils, brutal, sanglant.) Toute la nuit, ils racontèrent. Jean s'allongea sur un divan recouvert de chintz, fleurs rouges sur fond rose, il empila des coussins sous sa tête. Devant le feu, entre ses deux colleys d'Ecosse, Vincent prit une pose d'odalisque, et moi, je me réfugiai sur le tabouret tournant, près du piano à queue. Juste assez inconfortable, les mains jointes, les pieds parallèles, je dominais le spectacle, les deux garçons vautrés, les chiens somnolents, le ballet immobile des chevreuils sans corps et des pieds de cerfs. Tous mes sens en alerte, j'écoutais. Alors que je rêvais d'être tout près de Jean, de m'abandonner à la douceur de sa peau retrouvée, sa peau, son odeur de blond, dans la chemise blanche ouverte le cou lisse, couleur caramel, alors que ma seule idée était de me jeter près de lui sur le divan, je me redressai selon la recommandation de sœur Marie-Emilienne pour les moments difficiles (que le dos te fasse mal, comme si tu voulais que tes omoplates se touchent). Raide, tendue, j'écoutais. Ils avaient quitté Rauze le 22 février au matin, pris à Auch le train de Toulouse. Dès l'arrivée, on leur avait réclamé de l'argent, le prix du passage, trente-cinq mille francs pour chacun d'eux, le règlement s'effectua dans le hall de la gare, aux toilettes. Vincent, pour sortir la liasse de billets cachés sous la doublure de sa canadienne, avait dû s'enfermer au moins dix minutes.

— Ces toilettes... quand je suis sorti j'étais malade.

— Vert, dit Jean. Le type t'a dit : ne faites pas cette tête, on dirait que vous avez peur.

— Du coup, j'allais mieux, j'avais une envie folle de lui rentrer dedans, à ce type.

— Il était déjà si laid. Tu ne lui aurais pas gâché le portrait.

— Et Rico, le passeur, était encore plus laid.

— Figure-toi, Nina, il ressemblait à George Raft, est-ce que tu te souviens de George Raft au cinéma ? dit Jean.

Comment pouvais-je me souvenir de George Raft ? Où et comment l'aurais-je vu jouer ? En guise de cinéma, Jean le savait très bien, pendant longtemps, je n'avais eu droit qu'aux Charlot et aux Mickey éreintés, grêlés, que les sœurs projetaient pour Noël et pour leur fête, à la Pentecôte. Et maintenant, il me signifiait par le truchement de George Raft que nous n'appartenions plus au même univers. Le cœur serré, je refusai de répondre et me mis à tourner sur le tabouret de piano.

— Ecoute, Nina, au lieu de te prendre pour une toupie. Il était horrible, ce Rico. Il avait une cicatrice abominable, ça partait d'une oreille, ça suivait la gorge, ça passait pardessus la pomme d'Adam et ça venait atterrir sous l'autre oreille.

C'est à Chernet-les-Bains, dans l'Ariège, que

les deux garçons avaient été présentés à Rico. En même temps que quatre autres conspirateurs, un Anglais, ancien vendeur de Rolls Royce, et trois Israélites.

— Trois quoi ?

— Israélites, dit Jean.

La tentation d'un saccage venait de m'effleurer. J'avais repris des forces, du courage, je voulais lui faire payer la trahison de George Raft, je répétai :

— Trois quoi ?

— Tu es sourde ? Trois Israélites. Is-ra-é-lites, tu y es ?

— Pourquoi tu dis Israélites ? A la maison, on dit des Juifs, non ?

— Tais-toi.

— Ta mère ne parle pas tout le temps des Juifs ? Chaque fois qu'il y a une catastrophe, elle n'accuse pas les Juifs ? les Juifs, les Juifs, les Juifs (j'imitais Eva Cracra, son mouvement de mâchoires, broyant le mot Juif comme ses tartines de pain grillé, frottant ses mains sèches l'une contre l'autre, ses mains, ses élytres. Elle ressemblait à un insecte exterminateur, une sauterelle chargée d'anéantir les Juifs). Et elle ne dit pas tout le temps...

Je reçus un coussin en pleine figure, un autre, mais ne cédai pas.

— ... elle ne dit pas tout le temps : c'est la

Juiverie Internationale qui nous a menés à l'abîme ?

— Tais-toi, cria Jean, tais-toi.

— Ta mère est antisémite ? fit Vincent.

— Pas plus que d'autres. Mais Nina la déteste, dès qu'elle peut la noircir.

— Je ne la noircis pas, je ne la déteste pas, elle n'existe pas, tu le sais très bien, elle n'existe pas pour moi, je n'aime que toi.

L'heure n'était pas aux déclarations, surtout chargées de pathos revendicateur. Jean retomba dans ses coussins, murmura tâche de rester tranquille. Vincent me proposa un tilleul. Ça vous calmera. Je ne répondis pas, ils attaquèrent le chapitre des *breudequins,* Rico avait demandé trois mille six cents francs pour chaque paire, Vincent les avait obtenues pour quatre mille francs les deux. La discussion avait pris une nuit entière, retardé d'une journée ou presque le départ de Chernet-les-Bains, les autres voyageurs n'avaient pas caché à Vincent leur désapprobation, l'Anglais s'était entremis. Voulez-vous que je vous avance l'argent ? Vincent avait tenu bon, supporté mépris, mauvaise humeur.

— C'était un jeu. Rico le savait bien, il ne voulait pas perdre, il a perdu quand même.

Le souvenir de sa victoire l'enchantait : il l'arrosa d'armagnac. La main épousant le ventre de son verre, il berçait l'alcool, lui imprimant un mouvement de rotation, précis, maniaque, et cela ressemblait au geste du joueur de pétanque qui ne veut pas rater son coup. Rico avait paru lui pardonner. Quand il avait fini par lâcher les brodequins, il lui avait donné l'accolade, une grande claque dans le dos, mais son regard était tombé sur Jean, brûlant de haine.

— J'ai senti cette haine, mais je ne me suis pas méfié, dit Jean, j'étais de bonne humeur, je trouvais le pays beau, j'aime bien la montagne.

— Nous suivions un chemin avec des cailloux, Jean était en tête, dit Vincent.

— A deux pas derrière Rico, dit Jean.

— Ça l'a pris à la tombée de la nuit.

— Je marchais toujours aussi bien, je sifflais, mais rien de gênant, il s'est retourné comme un fou... Comme le type qui vient de trouver une idée. *L'idée.* Il devait réfléchir depuis le départ. Comment m'embêter, me faire souffrir. *L'idée...*

— Je l'ai vu, dit Vincent, foncer sur le sac à dos de Jean, y donner des coups de poings.

— J'ai vacillé, je suis tombé à genoux. Il voulait que je jette mes livres, il m'avait vu les fourrer dans mon sac à Chernet... Il braillait *todos, todos.*

Vincent aspira une gorgée de son verre ballon.

— On était déjà en pleine montagne. La neige était apparue, ça craquait sous les pieds comme du verre pilé. Des rochers sinistres, la nuit dans trois minutes, j'ai dit à Jean, fais ce qu'on te dit...

Sur son divan, Jean se débattait comme il avait dû le faire lorsque Rico s'était rué sur son sac.

— Tu ne peux pas savoir, Nina, un vautour, un véritable vautour, il jetait les livres à toute volée.

Je fermai les yeux, j'oubliai le divan, l'armagnac, les vexations, la désinvolture, je ne voulais retenir que le chemin de cailloux et la neige en plaques comme une lèpre, le bruit de verre pilé et Vincent passant du rôle de marchand de tapis à celui de lâche, triomphant pour ses *breudequins* et cédant pour les livres de Jean. Fais ce qu'on te dit. Je voyais Rico, sa cicatrice abominable, sa main-crochet frappe frappe, les livres de Jean volent et tombent comme des oiseaux morts, Jean est à genoux les mains devant la figure, il ne veut pas regarder le fou qui le maltraite et le pille pour se venger de Vincent, il est malheureux, il ne se défend pas, il ne proteste pas, il se soumet, pourquoi ?

Et pourquoi déteste-t-on les Juifs ? Dans l'écroulement majestueux de ses mentons, Feuzojou décide — et ça tombe sec : Pour le Golgotha. Tante Eva aussitôt se crête. Pas seulement pour ça. Son sentiment, si j'ose dire, est moins pur que celui de sa mère, elle est surtout antisémite à cause de Lallie, la jeune tante de Jean (six ans de plus que lui, à peine), la sœur de ce père qu'il n'a pas connu. Bonne-Maman l'appelait Lallie-sans-le-sou et l'invitait à la maison un mois, l'été, oh, pas pour s'y reposer.

— Tu seras au pair, Lallie.

— Bien, madame Soyola.

Elle chantait sa réplique, sept notes de soprano. Sœur Marie-Emilienne lui disait tu peux remercier le Bon Dieu, Lallie Branelongue, Il a mis l'oiseau du Paradis dans ta gorge. Elle la faisait chanter en solo à l'église, pendant la messe, et les jours de fête, au salut du saint-sacrement, elle l'accompagnait à l'harmonium. Le morceau de bravoure de Lallie c'était le *Tantum ergo*, elle prononçait *tannetoum* avec l'accent traînard du pays, mais sa voix prenait un chemin si délicat, si léger que sœur Marie-Emilienne, tout en malaxant l'harmonium, écrasait une larme au coin de ses rigides paupières. Je partageais son émotion. D'abord, moi, je ne chante guère mieux que le vent sous les portes, une voix juste me ravit, et puis cet oiseau dans la gorge de Lallie, dans l'odeur des cierges, à deux pas de Jeanne d'Arc en cotte de plâtre, c'était en quelque sorte une apparition. J'avais l'impression de le voir en transparence sur le cou vibrant de la jeune fille, il se tenait fier, cambré, le bec au niveau des amygdales, mais pourquoi Lallie devait-elle payer si cher ce cadeau de Dieu ? Son enfance avait été tragique, elle était la benjamine d'une famille de six, ses parents et quatre de ses frères et sœurs avaient péri dans un incendie de forêt. Elle n'avait que cinq ans lorsque le père de Jean, son tuteur, mourut à son tour (on ne disait pas de quoi). Devenue sa tutrice, tante Eva la mit en pension, puis dès qu'elle obtint son certificat d'études, la plaça comme demoiselle de compagnie à Lérézos, douze kilomètres de Nara, chez madame Fadillon, une dame riche et aveugle qui lui commandait des soupers à n'importe quelle heure de la nuit. En dépit de tout, le caractère de Lallie était à l'image de sa voix, à la fois serein et pétulant. Quand elle ne chantait pas de cantiques, elle fredonnait les airs à la mode, elle sifflait comme un muletier et elle riait. Haut, longtemps, en trilles, en éclats, de grandes coulées de rires si communicatifs que l'aïeule Feuzojou, elle-même, s'y laissait prendre. D'ailleurs, Lallie lui plaisait.

Aussi blonde que Jean, les cheveux tordus en un chignon façon nid d'oiseau, elle avait de jolis bras ronds et son corsage fut vite et bien rempli. Bonne-Maman braquait sur elle son face-à-mains, le repliait d'un mouvement sec du poignet, pinçait sa bouche en forme de groseille et, *sotto voce,* comme le gourmet qui médite sur le goût d'une sauce ou d'une bouteille de vin :

— Mmm, voilà une personne fort appétissante.

Alors, Eva, la moue amère, frottant l'une contre l'autre ses mains sèches :

— Un bien pour un mal. Quand on pense à l'appétit des hommes.

Si, dans son cœur accaparé par son fils, il restait encore une bribe de tendresse, un déchet de sympathie, c'est bien Lallie qui en bénéficiait. Elle lui donnait ses vieilles robes, la plupart mauves, certaines aubergine, assorties à ses cheveux. Lallie poussait des cris de joie. Qu'elles sont jolies, Eva, je n'ai qu'à lâcher les coutures, descendre l'ourlet, je serai la plus belle.

— Et cet hiver, ajoutait Eva, grisée par l'exubérante gratitude de sa belle-sœur, cet hiver je te donnerai mon manteau. Il a un col de ragondin.

— Du ragondin, oh, Eva, c'est trop.

Bonne-Maman faisait la surenchère :

— Moi, je t'achèterai des souliers... Tu auras des souliers neufs...

— Des souliers neufs, oh, madame Soyola...

— Moi, disait Jean, je te donne le face-à-main de Bonne-Maman, tu en auras besoin pour examiner comme il faut les hommes qui te regardent.

Le rire de Lallie filait, faisait des bonds, des cabrioles et Feuzojou, grandiose, continuait :

— Ne ris pas, Lallie, il a raison, Jean. Il faudra que tu sois perspicace. Et prudente. Si tu fais un bon choix, je te doterai.

Mais Eva, comme une pierre dans la mare :

— Il n'y a pas de bon choix, j'espère que Lallie ne sera pas assez folle pour se marier.

Elle aurait voulu que sa belle-sœur se fît religieuse, cette voix d'ange n'était-ce pas un signe ? Elle pria sœur Marie-Emilienne de catéchiser Lallie, la sœur refusa. Que je fasse de la réclame ? pour la cornette et les jupes grises ? Mais vous n'y pensez pas, madame Branelongue, une vocation, ça ne se commande pas, Lallie est assez intelligente pour décider de sa vie. Cette vie, des années longues, ce fut pour la jeune fille la plus joyeuse du monde, l'hiver, l'aveugle de Lérézos, ses médianoches intempestifs et, l'été, Nara où Bonne-Maman, profitant de ce qu'elle était *au pair*, l'obligeait à trimer dans le jardin et à jouer avec elle au mah-jong dans la véranda. Deux fois par semaine, tante Eva lui donnait congé. Lallie courait la campagne et la forêt avec nous, sur la bicyclette brimballante de Mélanie. Tous les garçons du village s'arrangeaient pour se trouver sur notre passage quand nous rentrions, fourbus, je ne sais combien de kilomètres dans les pattes et mourant de faim. Les plus audacieux venaient nous retrouver au ruisseau où nous pêchions le *pesquit,* goujon des sables qu'on attrape dans des bouteilles perforées, nanties de mie de pain.

— Lallie, si tu veux, je t'emmène pêcher à l'océan, la garole c'est quand même mieux que la bouteille.

— Moi, je t'emmène à Arcachon, Lallie, elles sont bonnes, tu sais, les huîtres d'été.

— Tu viens avec moi à la fête de Mont-de-Marsan ?

— Tu n'as pas envie d'aller voir la course de vaches à Saint-Vincent-de-Tyrosse ?

— Et danser, Lallie ? Ça ne te dit rien ?

Elle riait, elle ripostait. Tu ne t'es pas regardé, Camille Duvignacq, avant de m'inviter, tu devrais commencer par te laver la figure. Et toi, Jeannot Caule, tu crois que j'ai envie de danser avec un *nanan* qui n'a même pas son certificat d'études ? Dis donc, Charles Dubourg, tu crois que ça me ferait plaisir de voir courser des vaches ? Hé, Fernand Lafouillade, pour pêcher à la garole, il faut être au moins six, où sont les quatre autres ? Jean et moi, nous applaudissions à la sagacité de Lallie. Nous pensions bien qu'elle mourait d'envie d'aller aux courses de vaches, sur le bassin d'Arcachon ou seulement à Saint-Salien contempler la mer, mais elle savait que c'était impossible. Sur le chapitre des garçons, ses bienfaitrices resteraient intraitables, on ne lui permettrait même pas d'aller à la fête de Nara danser sous le préau de l'école, elle était trop fière pour demander une faveur, trop gaie pour s'affliger d'un refus, alors — et c'est ce que nous admirions —, elle envoyait promener Fernand, Charles, Jeannot, Camille. Son chignon dansait drôlement sur le haut de sa tête, parfois il s'écroulait, comme un bol de café au lait qui se renverse. Ses bras dodus relevés, elle se recoiffait, à nouveau se moquait de ses soupirants.

— Vous en faites des têtes.

Sa bonne conduite incita tante Eva à lui payer, quand elle atteignit dix-huit ans, des leçons de chant et de solfège. Elle se rendait à Dax une fois par semaine, bicyclette et train, l'aveugle de Lérézos lui donnait congé ce jour-là. Du coup, l'église de Nara retentit de musiques bien plus savantes, d'airs bien plus rares que le fameux *Tantum ergo,* les jeunes gens se firent de plus en plus pressants autour de la chanteuse que chaque été ramenait encore embellie. Elle refusait toujours avances et excursions, mais le ton changeait : sous l'ironie, on décelait (pas moi, mais Jean) une arrière-pensée ou plutôt un arrière-goût de promesse.

— Remarque, disait Jean, quand elle leur balance ses non non non, c'est comme si elle leur donnait rendez-vous.

Le jour de son vingt et unième anniversaire, Lallie débarqua à Nara, son chignon passablement de travers au-dessus du col de ragondin offert par tante Eva. C'était en avril, un an avant la déclaration de guerre, elle voulait nous embrasser, elle partait pour Bordeaux, elle y perfectionnerait son chant. Prise de court, Feuzojou agita ses sonnailles, déplia et replia son face-à-main, considérant l'appétissante personne qui prenait le large.

— Gare à toi, Lallie.

Eva Cracra, elle, poussa les hauts cris :

— Tu es folle, folle à lier. Bordeaux, et quoi encore ? Une jeune fille seule à Bordeaux, mais c'est sa perte.

— Je ne serai pas seule, Eva.

— Tu ne...

Elle s'étranglait, frottait ses mains, en faisant craquer les jointures.

— Je ne serai pas seule, Eva, reprit Lallie, je serai avec mon fiancé. Et quand nous serons mariés, je serai avec mon mari.

— Ton mari, mais quelle horreur, dit Cracra.

— Oh, non, ce n'est pas une horreur, Eva, c'est un homme merveilleux, il joue du violon.

— Du violon, répéta Eva, terrassée.

— Du violon, voyons, Lallie, ce n'est pas sérieux, protesta ma grand-mère. Mais où l'as-tu connu, ce violoniste ?

— A Dax, dit Lallie. Grâce à Eva, c'est mon professeur de chant qui me l'a présenté.

— Et comment s'appelle-t-il ?

Lallie baissa les yeux, joignit les mains comme lorsqu'elle attaquait le *Tantum ergo :*

— Il s'appelle Daniel, c'est beau, n'est-ce pas ? un nom de prophète...

— Et après ? aboya Eva.

— Après, eh bien, après, Lévi. Daniel Lévi.

Le même court-circuit traversa ma grand-mère et ma tante, mais la première eut la force de jeter un cri, la seconde arrondit la bouche sur une plainte muette, elle ressemblait à un *pesquit* échoué, elle finit par reprendre sa respiration et marcha sur Lallie qui recula. C'était une danse de fous : cette femme hystérique qui chargeait, la jeune fille calme et lumineuse qui reculait, ses pieds glissant sur les carreaux. Pendant un long moment on n'entendit que le bruit de ce glissement, frtt, frtt, et le claquement des talons de tante Eva qui la poursuivait autour de la table ronde où Mélanie avait posé le plateau du café. Je crus qu'Eva allait s'emparer de la cafetière et s'en servir pour massacrer Lallie, mais celle-ci amorça un nouveau recul, entraînant la furie autour des fauteuils, des chaises où je m'étais réfugiée (Papa n'était pas là, Jean était au collège), le regard fou de tante Eva dérapa sur moi, ce fut comme une libération, elle parvint à vociférer :

— Fous-moi le camp, espionne, vicieuse, toujours là dès que le mal se montre.

Feuzojou profita de l'occasion :

— Oh, elle, elle a le goût du péché, tandis que toi, Lallie, tu es restée pure.

— Pure, glapit Eva, pure, une traînée qui veut épouser un Juif.

— Lallie, écoute-moi, reprit Bonne-Maman optant pour la douceur, les Juifs, c'est le Golgotha...

— Pas le mien, dit Lallie sans cesser de reculer à travers la véranda, pas Daniel, madame Soyola.

— Que son sang retombe sur nous et sur nos enfants, récitait Feuzojou, tu sais bien qu'ils ont dit ça.

— On me l'a raconté mais je ne le crois pas, je ne l'ai jamais cru, madame Soyola.

— Tu ne l'as jamais cru ? Oh, Lallie, tous ces péchés que tu as sur la conscience...

Eva soudain accéléra la poursuite, elle s'abattit quasiment sur sa belle-sœur et se cramponna à ses cheveux.

— Un Juif, espèce de traînée. Un Juif. Dans

la famille de mon fils, un Juif, quel scandale, quelle honte, un Juif.

Dans un grand geste des bras, Lallie se dégagea. Tante Eva tomba sur les genoux, mais continua de crier un Juif et une traînée, en mesure. Un-un Juif — Et une-eu traînée. Lallie courut à la porte, je la suivis, je voulais lui dire adieu, l'embrasser, lui promettre que Jean et moi nous l'aimerions toujours, mais elle était plus rapide que moi. Quand j'atteignis le portail du jardin, elle filait déjà sur sa bicyclette, ses cheveux flottaient, horizontaux comme la crinière d'un cheval au galop.

— Ecoute, attends, Lallie, bonne chance.

Sans cesser de pédaler, sans se retourner, elle fit un petit signe de la main et disparut derrière la haie de lauriers. Eva hurlait toujours. Juif et traînée. Elle hurla jusqu'à la nuit, j'avais quatorze ans, déjà l'habitude des scènes de famille, ça ne m'empêcha pas de dormir, je rêvai de Lallie, elle montait le chemin du Golgotha à reculons et les soldats de Pilate tiraient sur sa crinière. Au sommet du calvaire il y avait Jean.

IV

Depuis quinze jours, Nara croule sous l'été. Dans le village les femmes s'accostent. Heu, qu'il fait mauvais. Elles prolongent de leurs mains levées l'ombre de leurs chapeaux noirs, leurs sandales sont grises de poussière. Dans les pins, les vieux à gilets rayés transpirent, leur sueur a la teinte de l'encaustique, des gouttes brunes rayonnent de leurs bérets, cheminent sur leurs nuques où les rides sont devenues crevasses, sur leurs joues convexes d'édentés, eux aussi gémissent. Hou qu'il fait mô-vais. A la maison, les Allemands compliquent le service, le colonel Mains de Cire dîne sous la tonnelle, s'y attarde en compagnie de ses officiers, le secrétaire Otto a des vapeurs. Dès qu'il entre dans la cuisine, il dégrafe son uniforme et, pour éponger son torse rose, il emprunte les torchons de Mélanie, laquelle proteste. Voyons, monsieur Otto, je viens d'essuyer le fourneau avec. Otto s'éponge quand même, le torchon de Mélanie se promène sous ses aisselles, ses poils ressemblent à des graines de pissenlit. Mélanie se trouble, se dandine, propose à Otto un verre d'eau fraîche. Il y en a dans la cruche, à la buanderie, je l'ai prise au puits, monsieur Otto, ça vous fera du bien. L'Allemand sourit de ses yeux sans cils, refuse l'eau, continue de s'éponger avec le torchon du fourneau puis, crac, installe son bras d'un blanc lumineux sur la croupe de Mélanie.

— Monsieur Otto, ma robe de service, elle est toute propre.

— Moi aussi *zervice*, moi aussi *brobre.*

— Mon Dieu, qu'est-ce qu'on peut faire ? ronronne Mélanie, ils sont les maîtres, on ne peut rien faire, rien du tout du tout.

La fatalité en robe de service. La fatalité en soldat que la canicule rend polisson. Et la fatalité en aïeule Feuzojou qui s'évente avec tout ce qui lui tombe sous la main. Ce matin, c'est avec un calendrier des postes représentant le maréchal Pétain (il se penche sur une petite fille aussi blonde que monsieur Otto, mais frisée, comme une chicorée). Ma grand-mère porte son uniforme d'été, une robe en tussor, semis noir sur fond fumée, ses vastes joues sont poudrées, son chignon est natté plus haut que d'habitude. Dès huit heures du matin, elle a déroulé les stores verts de la véranda, elle restera là toute la journée, sauf aux heures des repas, échouée dans un fauteuil, le chignon appuyé à la têtière de macramé, elle lit. (En ce moment : *le Secret de Leïlah.* C'est l'histoire d'un modeste viticulteur qui, à la suite de je ne sais quel hasard, plante une vigne dans le désert ; il rencontre une princesse arabe, lui arrache son voile, la convertit à la religion catholique, l'enlève et l'emmène à Lourdes où ils finissent brancardiers tous les deux, il paraît que c'est splendide.) Quand elle ne lit pas, elle somnole, elle boit du café au lupin, du thé au lantana, du sirop d'orange au sucre de citrouille et elle chipote Eva, sur tout, sur rien. Elles cessent de se chipoter pour parler de Jean, elles ne s'étonnent pas le moins du monde qu'il soit encore à Rauze alors qu'il est parti pour l'Angleterre depuis près de dix mois, elles simplifient : les Bouchard étant cossus et Bordelais, Rauze c'est déjà l'Angleterre. Entre des princes des Chartrons et des Anglais pur sang, quelle différence ? Elles pleurent l'absence de leur héros ; quand elles disent Jean, leurs yeux bleus s'embuent, mais ne voulant que son bien, elles sont rassurées de le savoir loin des Allemands qui, décidément, depuis qu'il fait chaud, passent les bornes de la mauvaise éducation. Au premier train de brises, sous prétexte de s'y ébrouer, Bonne-Maman sort dans le jardin, à pas menus, elle feint de s'intéresser aux senteurs que libère le crépuscule, elle marmonne : Oh, la première étoile, oh, ces quenouilles dans le magnolia, et ces taupes quelle horreur dans mon herbe. Mais son gros œil, obstinément, se cramponne à la tonnelle. Non, non, ça ne va plus, ils ont perdu toute décence, les militaires qu'on devine avachis là-bas dans l'obscurité grandissante, et que penser de leurs rires qui se mêlent aux fourbissages des grillons, aux gargarismes des grenouilles ? Et leurs chants ? Bonne-Maman est persuadée que, depuis la vague de chaleur, les occupants ne chantent plus que des refrains obscènes. Si Mains de Cire, conformément aux renseignements de Mélanie, ordonne de déménager le piano contre la haie de bambous pour y donner un concert au clair de lune, elle cessera de le considérer comme un homme respectable et elle entreprendra une neuvaine pour qu'il attrape une fièvre quarte, ou le rhume des foins. Qu'il débarrasse le plancher, qu'il retourne dare-dare dans sa Prusse natale, ce Prusco qui ne sait plus se tenir, d'ailleurs cette occupation dégénère, vivement que ça change, elle ronchonne :

— C'est à souhaiter la victoire des bolchéviques.

— Pour un piano ? grince Eva.

— Je sais ce que je dis. D'abord, il y a le piano. Après, Dieu sait ce qui suit.

Quand Eva trouve un os, elle ne le lâche pas facilement.

— Les bolchéviques. Tu les vois ici, à la maison, dans le jardin, les bolchéviques ? Ils auraient vite fait de toute mettre à feu et à sang. Ton piano, ils ne se contenteraient pas de le déménager près des bambous, ils en feraient du hachis, ils le réduiraient en cendres, ce sont des barbares, leurs armées sont des hordes.

— Bah, les Allemands sont bien des Huns.

— Peut-être, mais ils sont quand même plus civilisés que les bolchéviques. D'abord, ils ont eu de grands musiciens. Bach, Mozart, Beethoven.

— Justement, ils m'embêtent avec leur Mozart et leur Beethoven, j'en ai la tête enflée, de leur Mozart et de leur Beethoven. S'ils n'avaient pas existé, ces olibrius, le colonel ne jouerait pas leur musique, mon piano resterait où il est, nous aurions la paix.

— La paix, re-grince Eva, la paix en temps de guerre, tu as de ces mots.

Furieuse de sa gaffe, Feuzojou frappe le bois de son fauteuil avec son calendrier des postes.

— C'est toi qui as mauvais esprit. Je parlais de la paix chez moi, dans ma maison. Il faut toujours que tu déformes tout.

Eva n'a pas de pain grillé à broyer pour dissimuler sa rage, elle n'a même pas de tricot à détricoter, elle est assise bras et jambes nus en face de sa mère qui s'évente, elle dit chut violemment, se redresse, met sa main en cornet sur son oreille, glapit :

— Les mouches. LES MOUCHES.

— Quelles mouches ? demande Feuzojou.

— Des mouches. Là-haut. Je les entends. Il y a sûrement quelqu'un qui a oublié de fermer ses contrevents.

Elle me cherche du regard. Je suis accroupie sur le carreau frais, derrière un fauteuil, elle me trouve.

— C'est toi, sûrement, tu as oublié de fermer tes contrevents, tu ne penses à rien.

— Non, ce n'est pas moi.

— Laisse-la, Eva, dit Papa à l'autre bout de la pièce.

— Mais enfin, dit Feuzojou, si elle oublie de fermer ses contrevents.

— Elle n'a rien oublié, dit Papa, toi aussi, Maman, laisse-la...

Il supporte mieux la chaleur que sa sœur et sa mère. Je le trouve aussi frais que possible dans sa veste de toile bise, et sa voix est sèche.

— Laissez-la, toutes les deux.

— Pauvre petite cocotte, raille Eva, pauvre martyre.

— Je n'ai pas d'ordre à recevoir de toi, Paul, rouspète Feuzojou.

— Hier, je suis entrée dans la chambre de la martyre, poursuit Eva, ses contrevents étaient ouverts.

Je me contiens autant que je peux.

— Qu'est-ce que tu es allée faire dans ma chambre ?

— Je cherche un endroit pour écouter ma T.S.F.

Depuis que les Allemands ont envahi la tonnelle, elle ne sait où écouter sa chère T.S.F. D'habitude elle s'enfermait à deux pas de là, dans le poulailler où l'électricien du village, non sans surprise, lui avait installé une prise de courant. Tiens, il vous faut la lumière pour ramasser les œufs, madame Branelongue ? Tante Eva n'avait pas daigné répondre. Comment expliquer à ce rustre que les caquètements des poules se confondaient avec les tireli-tireli de la radio de Londres ? Au nom de quoi lui raconter, à ce paysan, que son fils était parti pour l'Angleterre ? Qu'il y serait incessamment, et qu'il reviendrait à Nara, dans un bel uniforme, un jour, plus tôt qu'on ne le pensait, pour chasser *ces messieurs*. Feuzojou bougonne :

— Je t'ai déjà dit de t'installer dans la lingerie, tu as la prise du fer à repasser.

— Non, dit Eva, la lingerie est juste à côté de la cuisine, *ils* occupent aussi la cuisine, figure-toi.

— Alors, va dans une chambre de domestique.

Eva se pince le nez.

— Merci bien, respirer le domestique : les pieds, l'eau de Cologne à deux sous.

— En tout cas, dis-je calmement, ne va pas dans ma chambre.

La discussion me paraissant close, je me lève pour quitter la pièce, un rugissement me retient.

— Ah, non ? Je n'ai pas le droit d'aller dans ta chambre ? Et pour quelle raison ? Tu y caches quelque chose ?

Je hausse les épaules et me dirige vers la porte. Nouveau rugissement.

— Ou quelqu'un ?

Je me retourne à la vitesse d'une gifle :

— Ce qui veut dire ?

Elle étouffe sous sa main un petit rire qui contient un flot de vinaigre.

— Ton voisin.

— Quel voisin ?

— L'Allemand.

— Quel Allemand ?

— Celui avec lequel tu montes, tu ne fais que... du cheval... avec lui ?

— Eva, dit Papa, Eva, tu veux que je t'écrase ?

Il s'est levé, il ne fait pas un geste de plus, il reste là, au fond de la véranda, debout. Ça fait deux personnes debout : Papa et moi, et deux assises : Bonne-Maman et tante Eva. Silence. L'orage se nourrit de ce silence, l'atmosphère de la véranda est une fournaise, je suis sûre qu'en dépit des stores et des courants d'air organisés il y fait plus étouffant que dans la forêt. Papa avance d'un pas, un seul. Instinctivement, Eva se recroqueville. Feuzojou se saisit du calendrier échoué sur sa robe de tussor, quelque part dans la région des cuisses (mais comment imaginer des cuisses à cette grosse dame qui n'a guère plus de formes que son fauteuil à têtière de macramé ?), elle m'épie et, pour être plus à l'aise, dissimule joues et mentons derrière cet éventail de fortune, j'ai l'impression que le maréchal Pétain m'épie sous les yeux phosphorescents de ma grand-mère, je m'en moque, comment suis-je habillée ? Ah oui, un pantalon de toile et une vieille chemise de Jean, ce que Feuzoujou trouve inconvenant. Je regarde Papa, il avance vers Eva.

— Paul, Eva, fait Feuzojou, vous n'avez pas honte ? A votre âge ?

— Eva, dit Papa, tu n'as pas répondu à ma question ? réponds-moi, Eva.

— Paul, dit Feuzojou, je te prie de respecter ta sœur.

— Eva, tu te décides ? dit Papa.

Ils ne sont plus qu'à un mètre l'un de l'autre. Lui, droit, debout, sa veste claire, ses lunettes.

Elle, ses cheveux teints, son torse de *belle personne* tendu, ses jambes deux fois croisées, la jambe gauche deux fois enroulée autour de la droite, on les dirait nouées.

L'aïeule Feuzojou pousse un soupir qui se complique de gémissements.

— Eva, je t'en prie, explique-toi, finissons-en, vous m'épuisez tous les deux.

Eva secoue la tête, le buste. Mouvement convulsif, rythmé, comme celui que l'on impose aux noyés quand on veut qu'ils recrachent l'eau.

— Je n'ai rien à expliquer (elle frotte ses mains), je suis entrée dans sa chambre hier matin, les contrevents étaient ouverts, il y avait plein de mouches (elle frotte de plus en plus fort, elle fait autant de bruit que les mouches), je suis sûre qu'aujourd'hui ils sont encore ouverts et qu'il y a encore plein de mouches.

— C'est tout ? dit Bonne-Maman.

— C'est tout ? répète Papa.

— Mais oui, c'est tout.

Elle décroise — ou plutôt dénoue — ses jambes.

— Alors pourquoi as-tu sorti l'autre histoire ? dis-je.

— Quelle histoire ?

— Réponds, Eva, dit Papa.

Elle se rend, Eva Cracra. Sans conditions. Ses grands bras nus pendent le long de ses jambes. La tête penchée sur ses genoux, elle bredouille :

— Je... je ne sais pas... La chaleur... Les mouches.

— Bien, dit Papa, mais si tu recommences.

Moi, je ne désarme pas. Avant de prendre la porte, je me retourne, et mon regard va de ma grand-mère à ma tante, de la grosse dame qui continue de m'épier, son calendrier sur la bouche, à l'araignée qui m'a insultée.

— Tu ne sais pas ce qu'on dit dans le village, tante Eva ?

— Non.

— On dit que le colonel est fou de toi, et que c'est en ton honneur qu'il veut jouer du piano au clair de lune.

— Garce, fait tante Eva.

— Malapprise, crie Feuzojou.

Papa a des larmes de rire. De rire ? Oh, je ne sais pas, je nc sais plus, je dis Papa, donne-moi tes lunettes que je les essuye. Il continue de rire, et moi, j'essuye ses lunettes à la chemise que je porte et qui a gardé l'odeur de Jean.

Trois jours et trois nuits, ils avaient marché trois jours et trois nuits à se dire l'Angleterre est au bout. Le premier jour, pendant une halte, Vincent avait dormi et rêvé d'une île qui s'avançait vers eux, verdoyante, paterne. Maintenant, debout devant la cheminée de son château, il étalait sur le vide une carte imaginaire, traçait de l'index l'itinéraire de l'expédition, il disait aussi notre aventure (quelle bouche il ouvrait sur l'a d'aventure) et je regardais, j'écoutais les noms propres qu'il énumérait avec l'aisance d'un conférencier. La vallée des. Le plateau du. Le pas de la. De nouveau une vallée et des pas et un pic, j'ai oublié tous ces noms, ma mémoire, d'habitude si vorace, les a rejetés. De mon tabouret de piano, j'assistais à leur *âventure,* je les voyais marcher, escalader, dépasser, franchir, descendre, encore escalader, re-franchir, mais leur montagne, je ne la sentais pas, je ne la touchais pas, elle n'était pas vivante, elle demeurait abstraite, un tableau, une carte en tous points semblable à celles que déployait sœur Marie-Emilienne pour m'enseigner la géographie. Son relief, gouffres, sommets neigeux, chemins caillouteux, sentiers de chèvres, rochers, tout ça, je le traduisais en pointillés plus ou moins denses, plus ou moins bruns au bas de la France, cafetière d'un rose orangé. Et pourtant Vincent n'omettait aucun détail, il racontait le temps aussi précisément que le lieu, la température. La seconde nuit, il avait fait moins dix et ils avaient crevé, vraiment crevé de froid dans une cabane de bergers, ils avaient tenté d'allumer un feu mais tout était si humide, les branches, les broussailles qu'ils avaient ramassées en claquant des dents, peine perdue, ils n'avaient obtenu qu'une méchante fumée, alors ils s'étaient couchés, bien serrés les uns contre les autres sur le sol de terre battue. Pour m'expliquer, Vincent se jeta sur le divan, se serra contre Jean. Sa tête noire sur la chemise bleue, près, près, tout près du cou de Jean, et les chiens l'imitaient. Leurs museaux pointus, leurs fourrures mordorées parmi les jambes des garçons.

— Ça ne puait pas trop ?

Calme, calme ma voix. Je voulais un renseignement supplémentaire, rien d'autre, je le jure. A leur montagne, je n'avais prêté ni vie ni odeurs. La cabane de bergers, en revanche, son sol de terre noire, ses murs suintants d'humidité, et ces hommes entassés, leurs corps, leurs haleines. Et la tête noire, la chemise bleue, le cou. Et le pantalon blanc emprunté, la ceinture en peau de porc que je ne connaissais pas, un cadeau ? Et les chiens, roulant sur le dos, offrant leurs ventres blancs aux caresses, ça ne puait pas trop ? Ça ne puait pas trop ?

— Nina, qu'est-ce que tu as ? dit Jean.

— Vous ne vous sentez pas bien ? dit Vincent.

— La cabane, dis-je, ça ne puait pas trop ?

— Nous étions si fatigués, dit Jean, j'ai oublié.

Sur la terre moisie, le cou, la tête noire, les corps qui échangent leurs chaleurs, serre-toi contre moi, je te réchaufferai, la nuit, les autres, la montagne, rien ne compte, il n'y a que toi et moi, la tête et le cou, je te protégerai, notre fatigue, je veillerai sur ton sommeil, le regard de boue qui veille, le cou qui ploie, s'abandonne, devient gorge offerte, ça ne puait pas trop ?

— Continuez, dis-je, la cabane.

— L'Anglais rêvait, il parlait dans son sommeil, dit Vincent, il disait *no my lord, please my lord.*

— C'est à vous qu'il parlait ?

— On te dit qu'il rêvait.

— De Vincent ?

— Mais enfin, Nina, qu'est-ce que tu as ? dit Jean.

— Continue, dis-je.

— Rico aimait bien l'Anglais, dit Vincent, après la nuit dans la cabane, il l'appelait milord et lui offrait du vin.

— Moi qui croyais les Anglais raffinés, dit Jean, tu aurais dû le voir, le milord, il buvait le vin à la régalade. Ça n'était pas ragoûtant.

Et les chiens pâmés, leurs museaux renversés, les garçons promenant leurs mains sur les ventres tendus, c'était ragoûtant peut-être ?

— C'est à cause de l'Anglais que vous avez renoncé à l'Angleterre ?

— *Very funny,* dit Vincent, on vous embête ?

— Jamais de la vie, racontez. Racontez les autres, les Israélites.

Je détachail le mot soigneusement, Is-raélites. Jean ne broncha pas, ils reprirent le récit, l'*âventure* n'avait pas souri aux Israélites, l'un d'eux, Léo Lehmann, avait confié à Jean qu'il n'avait aucun entraînement sportif, Elie Rosenberg non plus, il marchait comme un canard. Tous deux, dans leur enfance, avaient haï les jeux violents, les randonnées, les excursions, ils n'aimaient que les livres, enseignaient je ne sais quoi dans des lycées à Paris. Leurs plus longues balades, ils les devaient au métro. Quand la marche en montagne devenait trop pénible, on les entendait qui parlaient de la ligne Nation ou des changements possibles à Opéra et à Odéon. Léo habitait à quelques mètres de la station Censier-Daubenton, il paraît qu'il répétait le double mot Censier-Daubenton avec tendresse et souvent (les dents serrées sur Censier, la bouche en rond pour Daubenton) comme si c'était le nom d'un être cher, comme si, pour le soutenir dans cette épreuve, il y avait à

Paris une jeune fille qui portait le nom bien timbré, bien français, de Censier-Daubenton, et Jean avait risqué la plaisanterie de rigueur.

— Vous ne connaissez personne au métro Pyrénées ?

Seul, Vincent avait ri, il riait encore. Pas moi. Immobile, les mains serrées entre mes genoux, les pieds joints, le dos rond (à quoi bon suivre les conseils de sœur Marie-Emilienne ?) je contemplais le désastre : dans le désordre de leurs corps étalés, ces garçons, leurs chiens et, presque aussi tangibles et insoutenables, leurs souvenirs d'où j'étais exclue : la nuit dans la cabane, d'autres nuits, et les jours, leurs secrets, l'horreur. Le père Bouchard, avec sa trogne de chasseur, son sourire humide et rouge, serait-il descendu de son cadre pour se joindre à eux, l'homme aux *aougues* aurait-il surgi dans l'encadrement de la porte, je n'aurais rien fait, rien dit, je vivais un cauchemar où rien ne me paraissait impossible, je crois bien qu'ils étaient tous en train de me tuer.

Ici, on a vraiment tué, je le dis au cavalier et même c'est la première chose que je lui dis ce matin. Bonjour, on a tué un homme près de Nara hier soir, vous le saviez ? Il ne répond pas, il hoche la tête. Oui, il est au courant, il regrette, peut-être qu'il regrette, je n'en sais rien, mais je ne parlerai pas d'autre chose, nous sellons les chevaux, il est cinq heures au soleil, je pense à l'homme qu'on a tué. Il était prisonnier depuis deux ans au camp de Rocas, vous le saviez ?

— Oui, c'est malheureux, quel cheval je prends ?

— Il était prisonnier depuis deux ans. Querelle, vous pouvez prendre Querelle, oh, écoutez, il s'embêtait à en mourir, c'est normal, il avait vingt-quatre ans, un Algérien.

Querelle est de bonne humeur, elle fait un écart, comme la révérence, devant un râteau oublié sur l'airial, il la retient. Calme, Querelle, calme. C'est pour Querelle ou pour moi ce *calme* ? Un Algérien à Rocas pendant deux ans. Il devait avoir des nostalgies de palmiers comme une plaie en lui qui s'ouvrait doucement. Moi, si on m'enfermait pendant deux ans je rêverais de magnolias ou de pins ? Des deux, de magnolias *et* de pins et j'en rêverais à me faire mal. Nous prenons la direction de la forêt, la lumière à cette heure est une farine suspendue, brillante, elle bouge entre les arbres, se répand sur la brande, la fougère, la piste à double voie où les fers des chevaux impriment leurs croissants. Je crois que je rêverais surtout de pins. Il y avait trois palmiers dans le jardin de Nara quand j'étais enfant, Eva Cracra les a fait arracher. Trois palmiers et cinq magnolias. Je rêverais de magnolias.

— Il portait une chéchia, vous savez ce que c'est ? C'est rouge. J'ai dû le voir à Rocas, j'y vais le dimanche, je rends visite à un Nègre qui vient de la Côte-d'Ivoire. Chaque dimanche, il est un peu plus résigné, mon Nègre. L'Algérien n'était pas résigné, vous trouvez ça extraordinaire ? J'ai un cousin qui dit les barbelés c'est barbant. Vous comprenez ? barbant, vous savez ce que ça veut dire ?

Querelle exécute un nouveau plongeon, cette fois pour une pomme de pin tombée droite sur sa base et qui ressemble à un jouet, je pense à la chéchia que l'Algérien n'a pas enlevée dans sa fuite, à la tache rouge dans la forêt verte. Des palmiers. Une année, pour les Rameaux, Jean et moi nous avions joué à entrer dans Jérusalem. Sur la grande allée de Nara, nous avions répandu des palmes, il avait remplacé l'âne par sa bicyclette. Assis en amazone sur la selle, il pédalait d'un seul pied, lentement, vêtu d'une chemise de nuit volée à sa mère (celle de ses noces : fine batiste, taille haute comme pour les tuniques des anges, manches pagode), sur sa tête une perruque d'herbes pêchées au ruisseau. Plutôt qu'au triomphateur de Jérusalem, il ressemblait à une divinité marine, je le trouvais magnifique, je faisais la foule, courant partout, agitant des palmes, cria Hosanna.

— Vous voulez voir où on l'a tué ?

Ouragan batifole à son tour, coup sur coup trois ruades, je ne le corrige pas, je répète vous voulez ? vous voulez ? Alors lui, apaisant Querelle qui se pointe.

— Et vous, Nina, vous voulez ?

Et si je le tuais maintenant ? si je le tuais pour venger l'Algérien ? Ce ne serait pas difficile, Querelle, ce matin, a du feu dans le corps, je laisserais Ouragan filer, il ne demande que ça, Querelle suivrait, le dépasserait, ce serait la course. Tout près d'ici, il y a une lande comme un champ de bataille, on vient d'abattre un morceau de forêt, les bûcherons sont partis, mais les scieurs de long sont installés dans un désert parsemé de souches, de troncs couchés, d'éclats d'écorce couleur cacao, ils scient le bois en billons, puis en planches. Les chevaux ont parfois peur de la scie, ils auraient peur cette fois, j'en fais le serment, je vais m'arranger pour qu'ils aient peur, galoper à fond de train par-dessus les souches jusqu'au bout de la coupe de pins, pousser Ouragan contre Querelle, bousculade, bagarre, nous foncerons sur les tas de planches, ils forment une muraille, en langage de guerre ça s'appelle charger. A un mètre du but, je tournerai brutalement sur la droite, Querelle s'arrêtera pile devant le mur de bois et lui... lui, il sera vidé, projeté, chandelle, soleil, double soleil et la lune et les étoiles, je verrai tourner dans les airs ses bottes et sa casquette. Des taches rouges, d'autres taches rouges, sa tête contre le bois, j'entends déjà le bruit.

— Qui a tué ? vous savez ?

— Un soldat du camp, je pense, un gardien.

— Vous ne le connaissez pas ?

— Je ne travaille pas au camp.

— Ce sont les chiens qui l'ont retrouvé, je voudrais bien savoir ce qu'il y a dans leurs têtes, à ceux-là. Des chiens que des hommes dressent à poursuivre un homme.

Ma voix pointue dans la forêt. Minable, ridicule. Un oiseau se moque de moi, me répond sur le même ton, quel oiseau ? Un geai, je suis sûre, le geai cajole, oh, Jean, fous-moi la paix. Pour la première fois de sa vie, sa mère l'avait battu. Qui t'a permis de prendre ma chemise de nuit, petit voleur ? Elle n'avait pas dû la mettre depuis sa nuit de noces, il y avait des ombres jaunes à l'empiècement. Qui t'a permis ? qui t'a permis ? Il se débattait, ripostait à coups de palmes, les herbes de sa perruque ruisselaient sur son visage. A force de tirer dessus, elle avait déchiré les manches pagode, je crois qu'elle pleurait, mais le jour où les palmiers sont tombés, un deux trois, dans la pelouse de Nara, Dieu qu'elle jubilait, elle leur donnait de grands coups de pied. Saletés, saletés. Et comme je restais muette, pour une fois, devant le massacre : Tu les regrettes, hein, tes balais de cabinet ? Si elle pouvait, elle tuerait aussi les magnolias. Et l'araucaria, elle dit c'est un arbre-cauchemar.

— Nina, vous n'avez pas envie d'aller à Saint-Salien ?

— Pour quoi faire ?

— La mer, avec les chevaux. La mer, la plage, vous n'avez pas envie ?

— C'est de Pignon Blanc qu'il s'est enfui.

— Ah.

— Pourquoi ah ?

— Pour rien, Nina.

Il m'horripile avec sa manie de répéter mon prénom, et la mer maintenant, la plage, Saint-Salien avec lui, je le tuerai, les chevaux dansent sur le chemin semé d'aiguilles de pin. Je parle, ma voix n'est plus pointue. C'est de Pignon Blanc qu'il s'est enfui, l'Algérien, on leur faisait creuser des tranchées pare-feu, ils étaient huit hommes avec des pelles sur l'épaule, deux soldats pour les surveiller, ils retournaient au camp. Ce sont les métayers de Pignon Blanc qui m'ont tout raconté, la métayère (elle s'appelle Séraphine) a demandé aux soldats la permission de donner du pain aux prisonniers (ils font leur pain eux-mêmes à Pignon Blanc), les soldats ont dit oui. Pour les remercier Séraphine leur a offert du vin de sa vigne, ils ont accepté. Le grand airial de Pignon Blanc, la bergerie, les douze cagibis sous les chênes et le champ de maïs, les feuilles comme des rubans. Séraphine a ouvert la porte de sa cuisine, en grand, mais elle n'a pas enlevé son chapeau de paille noire ni dénoué le tablier sur sa robe, noire également, elle trace une croix sur la boule de pain qu'elle appuie sur son estomac, elle coupe de grosses tranches, les distribue aux huit hommes alignés devant son seuil et elle verse du vin dans deux verres à pied, cannés, très épais, le vin y prend une teinte cerise. Les soldats disent merci poliment, ils boivent, le vin cerise pique la langue, c'est agréable, les prisonniers mâchent le pain, c'est bon, Séraphine joint les mains sur son estomac, les rubans du maïs frissonnent dans le vent, la guerre s'éloigne. Alors, le jeune homme à la chéchia est saisi d'un vertige, il fait deux pas en arrière. Dans sa tête, bougent des palmiers. Il recule encore d'un pas, les soldats ne se doutent de rien, ils boivent, la tête légèrement renversée, peut-être qu'ils rêvent, eux aussi, à des arbres, à l'été, à des choses faciles. Séraphine a cru sécher de peur là, sur le seuil de sa maison, elle a proposé un autre verre aux soldats, ils ont encore dit oui, ils se sentaient bien, vagues, ils n'ont pas pensé à se retourner, quand ils ont fini par rajuster sur leur épaule la bandoulière de leurs fusils, il n'y avait plus entre eux deux que sept hommes qui mâchaient et remâchaient du pain. Sept hommes, mais huit pelles. Alors, la guerre est revenue à Pignon Blanc, les soldats ont fouillé la maison, la bergerie, les douze cagibis, même le foin dans la grange, la resserre aux gemmelles à grands coups de baïonnettes. Ils ont cherché partout, bousculé Séraphine, cassé la bouteille de vin et les verres, enfermé les sept prisonniers dans le four à pain, le temps d'aller chercher du renfort. Nous débouchons sur la coupe de pins, une lande qu'on dirait écorchée. Les scieurs ne sont pas arrivés.

— Pendant deux jours, il était là, dans la forêt, nous aurions pu le voir, qu'est-ce que vous auriez dit ?

— Nous ne l'avons pas vu, Nina, nous passons au trot ?

— Qu'est-ce que vous auriez fait ?

— Querelle voudrait changer d'allure.

Bien, il l'aura voulu, oh, je me débrouillerai pour effrayer les chevaux sans le secours des scies, les souches ont de grandes blessures, le tapis d'écorce n'est plus couleur de cacao, mais rouge-brun comme le sang qui caille. Pendant deux jours, l'Algérien a vécu comme un homme, sans barbelés, sans gardiens. Peut-être qu'il s'est couché, sa chéchia dans les fougères, il a regardé le ciel et la cime des arbres que l'air brûlant de midi déforme, transforme. Peut-être qu'il a vu des palmes se balancer là-haut et, la nuit, il en a vu d'autres au fil de la constellation d'Orion, Jean disait les étoiles ont bon dos, on y trouve ce qu'on veut. Tante Eva m'avait battue, moi aussi, le jour des Rameaux, je voulais défendre Jean, je l'avais frappée sur les fesses et griffée, je revois sur son bras si blanc la trace de mes ongles, elle m'avait traitée de bête sauvage. Le soir, à table, je ne pouvais détacher les yeux de son bras, j'étais fière de mon coup de griffe. L'Algérien, ce sont les ajoncs qui l'ont griffé, ils sont si hauts et denses par endroits. Quand il a entendu les chiens, il s'est couché, il a rampé, on ne les a lâchés sur lui que le second jour, le premier jour on n'a fait que fouiller les granges et les métairies, on ne pensait pas qu'il préférerait le secours des arbres à celui des gens. Pendant deux jours, il s'est cru sauvé, libre et puis soudain, dans l'air de sa liberté, des aboiements. Alors qu'il dénombrait des palmes à la cime des pins, dans le lointain, des aboiements, ça s'est rapproché, il a peut-être prié, prosterné sous les fougères, dans la brande. Griffé de partout, il a prié, tourné vers La Mecque, un Algérien avec une chéchia, il est peut-être passé par ici, il a joué à cache-cache avec les chiens derrière les touffes de bruyère et les piles de bois, il priait toujours. Dieu, mon Dieu, je vous en supplie, pas les chiens. Où était Dieu à ce moment-là ? Où était Dieu quand les abois sont devenus gémissements d'impatience puis, joyeux et soutenu, le chant du chien chasseur qui a trouvé la voie ?

— On y va ?

Querelle répond à la place du cavalier. Embardée suivie d'une descente de main, il la reprend sans violence, mais le signal est donné, j'éperonne Ouragan qui n'en a pas besoin et je quitte le chemin de sable en appuyant sur ma gauche. Comme prévu, les chevaux se heurtent flanc à flanc, galop de fantasia, il aurait aimé ça, l'Algérien, nous fonçons à travers la lande couleur de sang séché, la muraille est au fond, à côté d'un immense tas de sciure safranée. En avant par-dessus les arbres fracassés, leurs moignons. Des débris d'écorce giclent sur notre passage, ce doit être ça, la guerre, des choses qui giclent, la boue gicle sur toutes les images de guerre dans les albums de la véranda. Vincent Bouchard a des yeux de boue, il ressemble à un chien policier, l'Algérien sentait grossir dans sa tête le chant des chiens, il priait. Moi, j'avais aimé ça, mes ongles de petite fille dans le bras trop blanc de ma tante, la chair que je déchirais et, après, cette marque. Les yeux des chiens posaient sur l'Algérien des taches de boue, il a enfoui son visage dans les ajoncs, il a continué de prier. J'ai vingt-quatre ans, j'ai encore envie de palmiers. Cracra m'avait dit on va les brûler tes balais de cabinet, ce sera un feu de joie, tu veux y assister ? C'est un vrai *steeple-chase,* Querelle s'amuse, je le devine à son profil, des morceaux d'écorce sont accrochés à sa crinière, la muraille se rapproche, les chiens se rapprochaient, leur plainte comme une mélopée, un hululement. Et lui, des épines sur le front. Où était Dieu ? Séraphine m'a dit : ils l'ont retrouvé à plus de quinze kilomètres de chez nous. Quand la guerre sera finie, je ferai des courses d'obstacles, je serai comme ma mère, je gagnerai tous les prix, peut-être que l'Algérien gagnait tous les prix dans les fantasias, quand les chiens l'ont découvert, il a cessé de prier, il s'est défendu, il tenait une bâton dans sa main, il a frappé un des chiens en pleine gueule. Entre les yeux de boue un grand coup, de toutes ses forces. Le chien est tombé assommé. A l'autre. Encore un coup pour écraser le chant de mort et la langue et la gueule qui riait. Mais il n'a pas assommé le second chien, c'est ce qui l'a perdu, quand les soldats ont entendu hurler le chien, ils sont accourus et ils ont visé la chéchia. Devant lui, sur lui, la forêt a éclaté, le vent s'est élevé, il a vu voler des palmes. Ce doit être ça, Dieu : un vent qui souffle au dernier moment. Non, Ouragan, tu ne tourneras pas à droite, pas encore, attends, dix foulées. Et toi, Querelle, tu resteras bien droite, face à la muraille, tu le videras. Pour lui aussi, la forêt va éclater, il entendra le vent, il entendra Dieu. A droite maintenant, Ouragan, à droite toute, je te permets, fonce, cheval citrouille, tourne, reprends le chemin de sable qui mène à Pignon Blanc. Derrière nous, il y a la lande rouge. Dans trente secondes j'entendrai le galop de Querelle, libre, déchargée du cavalier, contente. Je me retournerai dans trente secondes.

Lallie se maria peu de temps après ses fiançailles, en août 1938, à Lérézos. Madame Fadillon, sa patronne aveugle, prévint tante Eva elle-même, un beau matin, par téléphone. Allo, madame Branelongue, je marie Lallie et je lui paye une belle noce. Elle ne l'a pas méritée, peut-être ? Après tous les bons petits plats qu'elle m'a servis ? Et puis, madame Branelongue, qu'est-ce que ça peut me faire qu'elle épouse un Juif ? Il a autant de doigts de pied qu'un Landais, vous savez, et il joue du violon, vous n'aimez pas le violon, madame Branelongue ? Si ? Alors vous viendrez à la... Eva avait jeté par terre l'appareil téléphonique (une boîte en pin ciré avec manivelle) et traité madame Fadillon de maquerelle du diable. Quand les faire-part arrivèrent à Nara, elle les déchira sur la table de la cuisine devant tout le monde. Ce toupet, envoyer des faire-part pour un péché mortel. Jean était en vacances, il venait de passer sa rhétorique. D'une main qui tremblait un peu, il ramassa les morceaux de papier, reconstitua le puzzle et, sans regarder sa mère :

— C'est la sœur de mon père. J'irai.

— Non, tu n'iras pas.

— Si.

— J'irai avec toi, Jean, dis-je.

Eva se préparait à m'assener ses insultes classiques, quand Papa entra dans la cuisine.

— J'irai avec eux, dit-il.

— Merci, dit Jean.

Je n'ai jamais eu la victoire modeste, encore moins à cet âge-là, quatorze ans. Devant Eva qui m'aurait volontiers étranglée, devant Feuzojou qui refusait de prendre parti, je dansai. Et j'acceptai d'aller avec Papa chez madame Roujaire commander une robe, on choisit du bleu à pois, avec des plis, espérant que plis et pois m'étofferaient et Jean me conseilla de dénatter mes cheveux, je promis de les laisser libres sur les épaules, un bandeau taillé dans le tissu de la robe me servirait de chapeau.

Papa me trouva superbe et Jean pas mal du tout. Quelle allégresse pendant douze kilomètres en auto de Nara à Lérézos, ce matin d'août. Jean sifflotait des cantiques, je lissais du plat de la main ma jupe à pois, c'étaient les noces de Lallie, et j'allais rire et boire, et Jean ne me quitterait pas, et boire et rire et un peu pleurer d'émotion parce que le fiancé de Lallie était juif et qu'il n'y aurait pas de messe, seulement une bénédiction. Houspillé par madame Fadillon, le curé de Lérézos avait accepté que les Enfants de Marie fleurissent la chapelle de la Vierge, à droite dans le chœur, c'est là qu'il célébra le mariage (et non dans la sacristie comme c'est l'usage, paraît-il, pour les mariages entre fidèles et infidèles). L'autel disparaissait sous les blancheurs : arums, marguerites, reine-marguerites et des branches d'althéa aux corolles comme des papillons, et des amaryllis au parfum de framboises. On ne sonna pas les cloches et pourtant tous étaient là sur les marches de l'église : les garçons du pays qui avaient courtisé Lallie ; ses amies de pension ; les métayers de madame Fadillon et les femmes du village curieuses de savoir s'il serait blanc ou noir ou quoi, ce fameux fiancé.

Il arriva entouré de trois musiciens (deux d'entre eux étaient ses frères) portant leurs instruments, violon, violoncelle, flûte, de l'air le plus naturel du monde. C'est aussi ce qu'on pouvait dire de lui, il était naturel. Autour de moi, j'entendis des murmures : c'est comme si on l'avait toujours connu. En fait, ni gros ni maigre, ni grand ni petit, châtain de cheveux et mat de teint, vêtu de bleu foncé, il ressemblait à Pierre et à Paul et à Jeannot ou Fernand, bref à tous ceux qui avaient désiré Lallie et désiré en faire leur épouse. Moi, je l'aimai d'emblée, d'abord il portait des lunettes comme Papa, ensuite il avait des yeux très doux, d'un gris mouillé de plume ou de sable après la pluie et, quand il regardait Lallie, on avait l'impression que ses yeux grandissaient. Elle était si belle dans son tailleur blanc qui lui faisait la taille fine fine, mais tout le reste rond. Une mariée comme un meringue sous le voile court attaché au chignon par une crête de fleurs d'orangers, des vraies, qui sentaient bon. Elle salua tous ses amis au passage. Adiou Fernand et bonjour Mélie et Mariette et Nancy et hu, que tu es gentil Pierrot, tu es venu de Parentis et oh, c'est pas possible, Jean, Jean tu es là ? quel bonheur, et Nina et monsieur Soyola. Elle nous embrassa sous le porche, à travers son voile, secouée par un rire un peu fou qui retenait des larmes. Les musiciens jouèrent des morceaux que je n'avais jamais entendus, sans doute profanes, j'admirai surtout le flûtiste, un gros, la bouche enflée, comme piquée par les guêpes, qui tirait des sons si grêles de sa flûte.

Le violoniste me plaisait aussi, il suait doucement ; de lentes gouttes glissaient de ses joues sur son instrument. J'aperçus sœur Marie-Emilienne, un rayon de soleil tombait du vitrail sur les ailes de sa cornette, sur son visage savonné, extatique, elle me dit le lendemain : un mariage comme ça, si ça n'est pas le signe que Dieu est content. Le curé parla deux minutes, juste le temps de signaler à Daniel qu'il portait le prénom d'un homme bien héroïque, qui, pour son Dieu, s'était laissé croquer par les lions. Il le dit avec un sourire presque malicieux, répétant le mot croquer avec l'accent gourmand d'ici, *queurroquer*, et à Lallie il souhaita de rester toujours digne de sa médaille d'Enfant de Marie laquelle, justement, attachée à une barrette d'or sertie de turquoises (le cadeau de madame Fadillon), pendait au revers de son tailleur blanc. Sur quoi, entraînées par sœur Marie-Emilienne, les Enfants de Marie s'égosillèrent et la mariée se joignit à elles, sa voix emplit l'église, Daniel lui prit la main, je me cramponnai à Jean, dehors les cris jaillirent :

— Vive la mariée.

Madame Fadillon, bonne vivante malgré son infirmité, avait ordonné que l'on fleurît de même façon son chapeau de paille et le pommeau de sa canne blanche, des ruisseaux de larmes avaient coulé de ses yeux morts pendant la cérémonie, surtout pendant les soli de flûte, mais, à la sortie de l'église, un grand sourire fendit sa face bouffie. Elle invita tout le monde, vierges, commères, beaux garçons, musiciens, curé et les autres, au festin qu'elle avait commandé à l'aubergiste de Lérézos, mais qui fut servi chez elle, sous les tilleuls et les chênes corsiers entourant sa grande maison à deux étages, à balcons de bois, au porche envahi par un bignonia qui crachait sur le sol ses fleurs orange en forme de trompettes. Nappes jusqu'à l'herbe, vaisselle blanche, carafes des grands jours, une vingtaine de tables attendaient les convives, et quel menu : graisserons, cous d'oies farcis, poule au pot, poulet rôti, poulet sauté, poulet chasseur, confit d'oie, il y avait aussi de la galantine de volaille et comme dessert, outre la pièce montée, une crème au caramel dans laquelle on trempait de grandes tranches de pastis. Côté breuvages, madame Fadillon n'avait pas lésiné non plus, je bus de chaque vin, Tursan couleur de soleil, Chalosse fruité, *piquepoult* un peu vert, plus un Médoc dont j'ai oublié le château et qui fut servi à même le tonneau. On l'avait installé sous le porche, les fleurs de bignonia pleuvaient dessus et les gens de la noce faisaient la queue devant, comme les curistes devant la source qui guérira leurs reins ou leur foie. Ils en revenaient, le verre tendu à bout de bras.

On peut trinquer avec les mariés ? Les mariés trinquaient, la crête de fleurs au sommet du chignon de Lallie oscillait, elle avait relevé son voile. La main dans la main de Daniel, elle piquait alternativement dans leurs deux assiettes, mangeait de tout, elle reprit même deux fois des cous d'oies et trois fois de la crème au caramel.

— Il va falloir que nous en donnions des concerts pour que tu manges à ta faim, lui disait Daniel.

Juste avant le dessert, commencèrent les chants. Toute la noce, y compris madame Fadillon, les reprit en chœur. Après les chants, les compliments. Jean se leva, il était très élégant, vêtu à la mode anglo-bordelaise, pantalon de flanelle grise, blazer bleu marine, chemise ciel très pâle, cravate rayée façon Oxford. Les douze tables bourdonnèrent de satisfaction, le fils Branelongue allait parler, c'était un bon début, il sut faire honneur à sa rhétorique, mention bien. De sa voix calme, il parla de l'harmonie d'un mariage conclu sous le signe de la musique, cita Claude Debussy (qui avait, paraît-il, séjourné dans la région) et Claude Duboscq, compositeur d'un opéra intitulé *Colombe la petite* que l'on donnait à Onesse, près de Nara, dans un théâtre en plein air construit sur le modèle de celui d'Epidaure. Il voyait Lallie devenir, avec Daniel et grâce à lui, aussi célèbre que ces gens-là. Désormais on écrirait le Rossignol landais dans tous les journaux du monde, dans tous les théâtres où elle donnerait des concerts, il en était très ému et très fier, il levait son verre à l'amour et à l'art, on applaudit à tout rompre, moi plus fort que les autres, il m'éblouissait, l'orateur Jean Branelongue. J'avais tiré devant mes yeux un pan de mes longs cheveux ; à travers ce rideau annelé, je dissimulais mon trac et j'étudiais son visage. Il se rasait depuis deux ans, mais sa peau avait gardé la même couleur, le même grain, il était toujours aussi blond, dans ses yeux coulait la même eau joyeuse qui m'avait captivée l'année de mes six ans. Je serais sa femme un jour, en dépit de tante Eva ; on célébrerait notre mariage, une belle noce comme celle de Lallie avec autant de chants et de vin, des musiciens, un tonneau, et le soir, voilée de mes seuls cheveux, je m'étendrais contre lui et lui, il ne serait pas vêtu du tout. Le soir, la nuit, nos corps luisant dans l'obscurité de sa chambre — ou de la mienne, et ses mains glisseraient sur moi et je m'abandonnerais. Tandis qu'il évoquait Claude Debussy, Epidaure et le monde flottant sous un déluge de concerts, je ne pensais qu'à l'amour, le nôtre, et ma figure était moite sous le rideau de mes cheveux. Quand il se rassit, je pris sa main.

Le maire lui succéda, c'était un ami personnel de madame Fadillon, un ventru avec une moustache et une voix de basse qui sortait de terre. Lyrique, il s'étendit sur la magie du *pignadar* et la fièvre orange du pollen, il récita des vers, tous du même auteur, Maurice Martin, où barbare rimait avec quarre (c'est l'entaille dans le pin), lande avec houppelande, arbouse avec jalouse, genêt landais avec dais et frontispice avec saucisse. Il en récita des kyrielles. Il y eut quelques effondrements dans l'auditoire, des joues rejoignirent des épaules, des mentons des estomacs, alors la voix de basse se fit vraiment sépulcrale. Abandonnant gemme, gemmeurs et autres sortilèges du Marensin, monsieur le maire aborda carrément le sujet qui devait tarabuster pas mal de monde autour des douze nappes fleuries de rouge par le vin du Médoc et celui de Chalosse : l'égalité de tous les hommes, quelle que soit la race et la religion :

... le globe-cimetière
Où s'accumuleront égaux, enchevêtrés
Tous les savants d'un jour et tous les illettrés,
Les Pline, les Mozart, les rabbins, les évêques...

Sa serviette sur la bouche, Jean retint à grand-peine un fou rire, je lui donnai un coup de coude, je le trouvai idiot de se moquer, elle me plaisait, à moi, la liste dressée par Maurice Martin au nom de l'égalité, j'aurais voulu que le maire en rajoutât. Lallie et Daniel étaient de mon avis, je pense. En tout cas, ils étaient aussi enchevêtrés que les rabbins et les Mozart du poème.

— Vive monsieur le maire, cria madame Fadillon.

Sortant de leur torpeur, les invités l'imitèrent. Vive monsieur le maire. Il eut droit à un ban, l'accepta en lissant sa moustache, l'air aussi fin que suave. Vive le sentiment, le Landais est un violoniste du cœur. Justement, le frère de Daniel avait apporté son violon à table, il le fit vibrer d'un air tzigane. Bis, bis. Du Fauré. Du Rimski-Korsakov, *le Vol du bourdon* qui chassa les insectes autour des assiettes barbouillées de caramel. Deux ou trois rigolos s'éclipsèrent et revinrent juchés sur des échasses pour la danse des *tchanquats*, ils s'agitaient avec une gaucherie de homards, entreprirent un combat singulier qui fit se pâmer la noce. Café, pousse-café, on servit des liqueurs, je revois Lallie, les deux coudes sur la table. Chignon, voile et fleurs d'oranger sont un peu répandus sur l'épaule de Daniel. En face d'elle, un verre d'izarra comme un petit morceau de feuillage. Elle est ralentie, languide, elle soulève le verre et le porte à la bouche de son mari et puis tout à coup sa main se raidit, sa tête se redresse, on dirait qu'on lui a jeté de l'eau sale à la figure, je suis son regard, mon cœur se resserre, je me rapproche de Jean, je *la* vois.

Eva Cracra. Elle avance à pas comptés sur l'allée qui va du portail à la maison, elle a mis son harnachement de veuve : bas et souliers noirs, manteau jusqu'aux chevilles, voile de crêpe relevé par une grosse épingle à chapeau. Elle avance. Le gravier sous ses pas. Elle arrive devant le bignonia. Son voile de crêpe contre la pluie de fleurs orange. Je voudrais hurler, elle fuirait. Elle fuirait ? Oh, non, pas Eva Cracra, elle continuerait d'avancer, acharnée, implacable. L'assistance se gèle peu à peu, il y a des mains sur des bouches, des frissons. Madame Fadillon, qui ne comprend rien, secoue le parterre de son chapeau, lève ses yeux sans regard, que se passe-t-il ? Eva s'avance, telle un bateau noir.

— C'est moi, madame Fadillon.

— Moi qui ?

— Moi : madame Branelongue.

— Madame Branelongue... mais que c'est gentil, que c'est bien d'être venue quand même, ah, vous nous faites plaisir.

— Vous croyez, madame Fadillon ? Vous croyez vraiment ?

— Si je crois... si je crois... Dis, Lallie, ça ne nous fait pas plaisir ? Lallie, où es-tu ?

— Je suis ici, Madame.

— Où ici ? Qu'est-ce que c'est que cette voix ? Tu dormais ? Tu dors le jour de tes noces ?

La moquerie sombre dans un froid pénible. Lallie s'accroche des deux mains au bras de Daniel, mais lui semble ne pas comprendre. Ses lunettes. Ses yeux couleur de sable mouillé. Et devant lui, dans son harnachement de deuil, cette inconnue, il ne comprend pas, c'était la fête, le bonheur, que vient faire cette femme ? Il demande tout bas :

— Lallie, qui est-ce ?

Lallie ne répond pas, elle en est incapable, sa bouche serrée est grise, couleur de poussière. Sur cette créature un instant plus tôt si vivante, la frayeur creuse, dessèche, il y a des ombres jaunes sur ses joues, elle est pétrifiée. Je ne pense pas à la mort, c'est plus étrange, comme le travail absurde, accéléré du temps : Lallie n'a plus d'âge. Autour d'elle les visages se fondent, ils sont devenus paysage, seul surnage le crêpe noir.

— Alors, Lallie Lévi, tu ne me demandes pas de m'asseoir ?

Encore un silence, je regarde Jean, il ne bouge pas. Une moustache de sueur s'épaissit au-dessus de sa bouche.

— Lallie, dit madame Fadillon, à quoi penses-tu ? Asseyez-vous près de moi, madame Branelongue. Vous voulez du vin ? Il y a aussi du mousseux et des liqueurs, vous ne voulez pas une petite liqueur ?

Lallie n'esquisse pas le moindre geste, Daniel

non plus. Dépassé, il attend. Moi aussi, Papa aussi, Jean aussi. Alors, quelqu'un, le maire, je crois (il y a des trous dans mes souvenirs, comme des taches un peu partout, sauf sur la femme noire et son vis-à-vis, Lallie en pierre), verse une liqueur dans un petit verre à facettes, l'offre à tante Eva qui ne s'est pas assise. Elle prend le verre, le regarde, le porte à son nez, renifle, puis en jette derrière elle tout le contenu.

— Je ne suis pas venue pour boire, dit-elle.

— Quoi, quoi, qu'est-ce qu'il y a ? fait madame Fadillon.

— Je ne suis pas venue pour boire, répète Eva Cracra, à la santé de qui boirais-je ?

— Mais... mais qu'est-ce qu'il y a ? mais qu'est-ce qui se passe, gémit madame Fadillon, madame Branelongue, qu'est-ce qu'il y a ? Qu'est-ce que vous avez ?

— Lallie Lévi, tu n'as pas honte ? Tu as pensé à tes parents ? Et à tes frères et sœurs ? Tous tes morts, qu'est-ce qu'ils pensent de toi, là-haut ? TES MORTS ?

Madame Fadillon a saisi sa canne fleurie, elle la dresse, l'agite.

— Madame Bra... vous êtes folle ? vous êtes folle ? Qu'est-ce que vous racontez ?

— Je ne raconte pas, je dis. J'ai du courage, moi, je dis ce que tout le monde pense, Lallie Lévi, tu n'as pas honte ?

— Tu vas te taire ?

Papa, enfin. Il s'est levé, je ne m'en suis même pas aperçue. Rapide, il rejoint sa sœur, la tire par le bras. Tu vas te taire ? Dis, dis, tu vas te taire ?

— Et toi, tu n'as pas honte ? Assister à une cérémonie pareille, un péché mortel, une... une messe noire. Y entraîner mon fils.

Son fils ne l'entend pas, il a disparu. Papa la secoue, d'abord doucement puis de plus en plus fort, on dirait qu'il voudrait la déraciner, le voile de crêpe bat de droite et de gauche.

— Lâche-moi, lâche-moi, je te dis.

— Tu vas te taire ?

— Allez-vous-en, madame Branelongue.

L'aveugle est debout, sa canne dressée comme la sagaie des sauvages. Tante Eva fait un pas en arrière, Papa l'entraîne, elle se débat. Lâche-moi, laisse-moi, une honte, Lallie Lévi, une honte, lâche-moi, mon fils, tu l'as entraîné à ça, une messe noire. Les imprécations s'affaiblissent. Messe noire, messe noire, mon fils. Tirée par Papa, la silhouette de deuil rapetisse par-delà les arbres et l'allée, jusqu'au portail. Sous les chênes corsiers, les gens de la noce ont l'air de réfugiés, la mariée sanglote, à petit bruit, dans ses mains, le marié lui caresse la tête à travers le voile blanc fripé. Je cherche Jean dans le jardin, la maison, partout, je finis par le trouver dans la salle de bains, couché sur le carreau, malade. Sa chemise est souillée, son blazer aussi.

Léo et Daniel. Dans ma pensée ils se ressemblaient, je me disais que, parlant de Censier-Daubenton, Léo avait la même prunelle agrandie que Daniel quand il regardait Lallie manger de la crème ou chanter. Et les vociférations de Rico, le forcené, Léo avait dû les accueillir comme, le jour de son mariage, Daniel, l'apparition funèbre de tante Eva, sans comprendre. Il y a des gens comme ça qui ne reconnaissent pas la haine, pourquoi la reconnaîtraient-ils ? ils ne l'ont pas connue, ils sont nés tranquilles et distraits, ils aiment la nature pour la contempler, pas pour la vaincre. Ce que Daniel adorait en Lallie, c'était la grâce répandue sur elle, à profusion, le corps en courbes douces et l'âme assortie, la santé, les ruisseaux de cheveux et que sa voix pût atteindre les plus hautes notes, les plus difficiles, sans effort. Ils n'aiment pas l'effort, les Daniel et les Léo, ils le sentent trop proche de la dureté. Lorsqu'il avait décidé de quitter la France, Léo n'avait aucune idée de ce qui l'attendait. La montagne, il n'en avait peut-être gardé qu'un souvenir de vacances. Et il tombait sur Rico, sur ses rages et les rages de la montagne, les douches de neige fondue qui lacèrent la figure et les chemins de neige, les tapis de neige et les plaques de neige, autant de chausse-trapes, et la cabane de bergers plus humide qu'une grotte, le froid qui se coule sous la peau, s'y étoile, les nuits interminables et les méchants sommeils qui ne délassent pas, au contraire, ils brisent (on se réveille roué, noué, courbatu, et les pieds mènent leur vie à part de bêtes brûlées, douloureuses). Croyant qu'il y aurait plus d'aise, Léo avait acheté au passeur des brodequins deux pointures trop larges, c'était devenu son boulet. A chaque halte, vite vite, il défaisait les lacets, frottait ses chevilles, geste maniaque, nullement efficace puisqu'il se relevait en titubant comme une volaille qu'une voiture a bousculée, et son visage était barbouillé de gris, alors Elie, son ami, parlait à nouveau du métro, des escaliers roulants. Il disait quand je pense qu'il y a des gens qui préfèrent l'autobus, espérant faire naître l'ombre d'un sourire sur la bouche de Léo et lui, dans un dernier sursaut de vaillance :

— Ils n'ont aucun sens du confort, ces gens-là...

Soudain il avait cessé de répondre à Elie, il n'avançait plus que la bouche serrée, les bras écartés comme un fil-de-ferriste qui n'est plus sûr de son fil. Il paraissait arracher chacun de ses pas à la terre, à la neige, et puis il s'était abattu, droit, fauché. Juron de Rico. Affolement des autres, ils avaient essayé de le relever, il avait poussé un cri, quel cri, Jean s'en bouchait encore les oreilles. Atroce, tu ne sais pas, Nina, ce qu'il y avait dans ce cri, les enfants doivent crier comme ça, ceux que leurs parents martyrisent. Aucun des membres de l'expédition ne s'y connaissait en médecine, cependant, devant la cheville prenant la taille d'une courge, le pied ballant, ils furent unanimes : fracture. On renonça à hisser Léo sur ses jambes, il avait murmuré laissez-moi, partez, laissez-moi...

— Tu es fou, avait dit Elie, te laisser, tu n'y penses pas, avec ce froid. Si on te laisse, tu meurs de froid.

— Portons-le, avait dit Jean, pourquoi n'essayons-nous pas de le porter ?

— Oui, avait dit Vincent, portons-le, ce ne sera pas difficile...

Elie et le troisième Israélite étaient de cet avis, mais le milord, lui, regardait fixement le ciel, il semblait ne pas entendre, c'était sa façon de traduire son indifférence, Jean prétendait qu'il avait pris la tête du vendeur qui a un rendez-vous important. On aurait juré qu'un prince ou un maharadjah l'attendait à

Piccadilly pour lui acheter son dernier modèle de Rolls. Léo ne pouvait plus maîtriser sa douleur, il gémissait, une plainte grêle, continue, et, dans ce paysage de catastrophe, le ciel boursouflé, le chaos des rochers, les paquets de neige, c'était si absurde. Rico se mit à beugler. Il n'avait jamais eu affaire à des gens pareils, s'il avait su, il n'aurait pas accepté de risquer sa vie pour eux, ces éclopés, ces rats. Et voilà qu'ils voulaient jouer aux brancardiers, juste au moment le plus dramatique tandis que les Allemands étaient là, *porque no ? Porque* ne seraient-ils pas là (il brandissait le poing en direction d'une masse rocheuse vautrée sur l'horizon) cachés, prêts à surgir, à les écrabouiller, les anéantir ? Si le senor Léo ne pouvait plus suivre à pied, comme les autres, il lui faudrait renoncer à l'Espagne, on le mettrait à l'abri du froid, et Rico viendrait le rechercher, à son retour, quand le reste de la troupe serait en lieu sûr, il le ramènerait à Chernet-les-Bains, il le porterait *solo, todo solo,* il n'en coûterait que trente mille francs de plus à celui qui déclarait forfait.

— C'est bien, avait dit Léo sans protester, c'est mieux, laissez-moi, Rico me ramènera, tant pis je n'irai pas en Espagne, ni en Angleterre, je reviendrai à Paris, ne vous en faites pas pour moi, laissez-moi, partez.

Ils étaient partis. Le petit homme aux joues

couleur de bois mort, avec sa jambe, encore du bois, et le pied fou, comme si, après l'avoir coupé, on l'avait recollé dans le mauvais sens, ils l'avaient abandonné dans une faille entre deux rochers, un abri pareil à une mâchoire. Refoulant loin, tout au fond de leur conscience, la honte et la pitié, ils avaient eu recours aux excuses en forme de pierres, classiques, féroces, c'est la vie, c'est la guerre et, penchés sur lui, chacun à son tour, ils avaient bredouillé des consolations minables. Vous avez raison, Léo, c'est peut-être mieux comme ça... Vous remettrez ça quand votre pied sera guéri... Au fond vous êtes un sacré veinard, vous allez revoir Paris... Et le pauvre Elie :

— Dis, mon vieux Léo, tu penseras à moi au changement Odéon ?

Léo avait dit oui, oui, d'accord, c'est ça, bien sûr, vous avez raison, mais partez, ne perdez plus de temps, laissez-moi. Vincent prétendait qu'il avait hâte de se retrouver seul, que le spectacle de ses compagnons droits sur leurs jambes le faisait autant souffrir que la fracture de sa cheville, il était humilié, mais, ajoutait Jean, il espérait encore que le destin lui sourirait, Rico le ramènerait à Chernet, il avait confiance en Rico, il n'avait regardé que distraitement le regard de fouine, la cicatrice, il le trouvait un peu irascible, c'est tout, il ne l'imaginait pas en assassin. Jean, lui, tout de suite l'avait su, il avait porté cette certitude jusqu'au soir comme un fardeau chaque minute plus lourd, plus insupportable et, dans la nuit (leur dernière nuit avant la frontière espagnole), ça l'avait empêché de dormir. Couché contre Vincent, il avait dit non, ce n'est pas possible, nous n'avons pas le droit, écoute-moi, Vincent, retournons vers lui, Rico va s'en débarrasser, je le sens, il va le tuer après lui avoir pris son argent, Vincent, écoute-moi... Vincent avait protesté, répété tu n'y penses pas ? tu es fou et l'Angleterre alors ? Et puis un peu avant l'aube, comme Jean menaçait de partir tout seul, il avait cédé. Profitant d'un sommeil de Rico, de ses ronflements, ils s'étaient enfuis, ils avaient renoncé à leur grand rêve. A la veille de réussir, ils avaient bazardé leurs chances pour partir au secours d'un petit homme dont ils ne savaient rien, sinon qu'il était juif et qu'il aimait prendre le métro.

Querelle est une jument bien dressée, elle n'a pas l'habitude de vider son cavalier surtout s'il respecte sa bouche. Arrivée devant la muraille de bois, malgré la vitesse, elle vire en douceur, souple, comme une mouette qui course les vagues, comme une vague. Sur la gauche non pas une dérobade, plutôt un quart de volte. Son jeu d'épaules reste rond, moelleux, y est-il pour quelque chose ? La voici qui escalade le grand tas de sciure, ses sabots enfoncent un peu, pas trop, ses postérieurs ont un mouvement de ressort, la sciure vole autour de la croupe sombre, c'est un essaim de guêpes. Arrêt. Sur un socle d'or meuble, une statue équestre me nargue, monture et cavalier, je ne l'insulte pas, je n'ai même pas envie de l'insulter, je dis simplement vous en avez de la chance. Il hoche la tête, il n'est pas plus pâle que de coutume, ni plus rouge, il n'a pas perdu sa casquette et, si la sciure éclabousse la crinière de Querelle, je n'en vois pas trace sur son uniforme, il plisse les yeux dans le soleil, impossible de savoir s'il a eu peur, serait-il content ? Osera-t-il me dire qu'il s'est bien amusé ? Ça les amusait, les garçons, de partir au secours de Léo, ça l'amusait, Jean Branelongue. Lui aussi, c'est un artiste de la volte et de la dérobade, l'Angleterre soudain lui paraissait fade en comparaison de ce roman qu'il pouvait vivre et tout de suite, pour qui se prenait-il ? Quel héros ? Ils ont quitté le camp en douce, ils ont rampé, retenant leur souffle, lentement, très lentement, pour ne pas réveiller les autres, tremblant qu'un rien les trahît, une pierre qui aurait roulé, un sac qu'ils auraient heurté, une bête tapie, moins encore, dans la tête d'un dormeur un cauchemar. Surpris, ils se seraient crus obligés de mentir. On ne voulait déranger personne, on avait une crampe, on avait froid, on avait soif. Bref, n'importe quoi, mais sur quoi la méfiance de Rico se serait jetée, affamée qu'elle était du moindre signe, du trouble le plus mince. Ils ont rampé et, quand ils se sont retrouvés seuls à une bonne distance du camp, ils se sont serré la main comme deux soldats qui ont fait le mur, deux cambrioleurs qui ont réussi leur coup, deux complices, quoi.

— Où allons-nous, Nina ?

Séraphine m'a dit il a marché longtemps, l'Algérien, plus de quinze kilomètres, il avait dépassé Lérézos. Je suis déjà allée à Lérézos à cheval par les pins. Avant la guerre, nous partions, Papa et moi, pour tout la journée, quelquefois nous ne rentrions que le lendemain, nous dormions à côté des chevaux dans une bergerie. Papa appelait ça partir en campagne, il disait c'est bon pour le cheval, il voyage, et c'est bon pour le cavalier, il voyage, lui aussi, et il apprend l'endurance. Ce n'est pas difficile de voyager dans les pins, il y a des pistes partout et le courant sert de repère, le Courlis. Il prend sa source à Rocas, dans la lande, près du camp de prisonniers, on le retrouve à Pignon Blanc, à Marotte, à Mourlosse, il passe sous le pont de Nara, y empoche l'eau de cinq ruisseaux. Dans la forêt, tantôt il est là, tout proche, offert (on y voit bouger le ciel, le sable dans le fond se glace comme le sucre des gâteaux), tantôt il disparaît sous un tunnel d'arbres enchevêtrés, saules à petites feuilles sèches, vergnes dont l'écorce grise est ajustée comme une peau, chênes tauzins, noisetiers, acacias, sans compter les ronces. A Lérézos, on pêche la tanche du Courlis. Quatre kilomètres plus loin, à Saint-Salien, il se jette dans l'océan.

— Où allons-nous, Nina ?

— Là, par-là.

Là, n'importe où, près de l'eau, les chevaux ont besoin de s'abreuver, après la folle galopade quoi d'étonnant ? La sueur jaspe la robe de Querelle, elle semble taillée dans un bois très rare. Sous la crinière d'Ouragan, l'écume à goût de sel. De l'eau oui, vite, là, pied à terre, la menthe sauvage tremble au fil du courant. J'imagine l'Algérien à plat ventre sur la berge ; les mains en coupelle, il devait puiser, boire, recommencer. Contre sa chéchia rouge, les pompons bleus de la menthe... Quand les garçons ont retrouvé Léo, il mourait de soif, heureusement ils avaient emporté une gourde, Vincent a relevé la tête du blessé, Jean l'a fait boire, attentif à ne pas verser l'eau trop rapidement, il disait doucement, ne vous pressez pas, vous allez vous étrangler. Il éloignait un instant, le temps qu'il respirât, le bec de la gourde des lèvres desséchées de Léo, mais l'autre implorait. Encore, je vous prie, encore un peu, j'ai soif, tellement, tellement. Jean inclinait la gourde, l'eau coulait sur le menton de Léo, Jean l'essuyait. Tous ces gestes, les soins, la sollicitude, pour qui se prenait-il ? Les rênes libres mais raccourcies par un nœud, les chevaux s'abreuvent, ils étirent l'encolure, aspirent l'eau si pure du courant, j'ai l'impression de la voir cheminer sous leurs robes, dans leurs entrailles. J'enlève des crins de Querelle les grumeaux de sciure, les éclats d'écorce.

— Vous n'avez pas soif, Nina ?

— Non.

— Moi, si.

Il a enlevé sa casquette. Des mains, il puise l'eau, boit, recommence, voleur de gestes, voleur d'images, voleur. L'autre, tandis qu'il buvait, les chiens étaient à ses trousses, peut-être qu'il était en train de boire quand il a entendu leurs premiers aboiements, peut-être qu'il rêvait de thé à la menthe.

— Nina, tout à l'heure...

— Oui.

— Tout à l'heure, la course c'était... je n'oublierai jamais.

— Vous n'avez pas eu peur ?

Les chevaux aspirent, le courant balaye l'extrémité de leurs crinières. Son bruit diligent, baratte, navette.

— Vous pensez que j'ai eu peur ?

— Je ne sais pas, je vous demande.

— Peut-être, oui, peut-être que j'ai eu peur.

— Marchons.

Nous marchons, le soleil est haut, il va faire chaud, les mouches ont surgi de partout, nous devrions rentrer, le temps de faire sécher les chevaux, je n'ai pas envie de rentrer, l'Algérien a marché longtemps, plus de quinze kilomètres, est-ce qu'il a eu peur tout de suite? Non, il a commencé par rire, il pensait à la tête des gardiens quand, sur la dernière goutte de vin, ils se sont retournés, il a pensé — non sans mépris — voilà ce que c'est que de boire du vin, il riait. Ils se sont débrouillés pour faire rire Léo, ils ont imité Rico s'apercevant de leur disparition, fouillant leurs sacs, jetant leurs affaires aux quatre vents, dans tous les creux du paysage, comme il avait jeté les livres de Jean ; ils ont roulé les r, vociféré, tordu leurs joues, et dans son abri en forme de mâchoire, la tête contre un rocher, le petit homme riait, le petit homme cassé. Ses orbites étaient comme des trous avec, au fond, des ombres en forme de prunelles ; on ne savait jamais, dans le jour sale de la montagne, s'il avait les yeux ouverts ou fermés. Peut-être qu'il riait, les paupières baissées ; ses yeux dessous, les vrais, étaient tristes, les faux paraissaient s'amuser des fausses colères des faux Rico... Nous marchons, c'est lui qui tient les rênes des chevaux. Démontés, ils ont l'allure nonchalante des êtres sûrs de leur beauté, ils sèchent. Frémissement de l'encolure, fouet de la queue, ils chassent les mouches, mais sans agacement, ils ne sont pas nerveux, ils vont bien, ils voyagent, Papa disait les chevaux ont besoin de distractions. Nous marchons, la forêt craque doucement. Entre les troncs des pins, la lumière accroche des lames ignées. Des courants chauds tournent au ras de la brande, je vais jouer les négrillons pour princes d'Orient : d'un éventail de fougères, chasser les mouches qui tourmentent les chevaux, Querelle, Ouragan, Querelle, Ouragan. Je devrais rentrer, Papa va se demander qu'est-ce qui lui arrive ? Et lui ? son colonel ? son travail ? (Je ne sais toujours pas ce qu'il fait.)

— Il faut rentrer.

— Je vous en prie, pas encore.

— Mais votre colonel...

Il lève les yeux au ciel, il balance les rênes des chevaux, il a l'air jeune, soudain. Son colonel... Nous marchons, les chevaux rêvent, je chasse les mouches, il siffle, comme siffle Jean, comme sifflait Lallie. Entre ses lèvres serrées un son très mince, très fragile, une phrase que je connais, qu'il boucle et déboucle interminablement, les chevaux apprécient, Papa m'a répété je ne sais combien de fois les chevaux sont musiciens, Jean ricanait. Pourquoi alors hennissent-ils si faux ? Il siffle un air de Lallie, un air d'église, je ne sais plus lequel, Querelle se tourne vers lui, elle semble dire continue, j'aime ça, cette musique. A Lérézos le courant s'étoffe, s'élargit, j'y ai vu des libellules et des martins-pêcheurs, les ailes des unes assorties aux plumes des seconds, tout ça bleu comme les yeux de Jean, nous dessellions, je restais muette sur la berge, les chevaux descendaient dans le courant, l'eau glissait sur leurs jambes et même, dans les endroits un peu profonds, sur leurs flancs où la selle avait laissé un tatouage ton sur ton. Lallie surgissait soudain entre les salicaires à hampes mauves et ces grands roseaux, les massettes, aux fleurs pareilles à des bobines. Alors, les cavaliers, vous n'avez pas réussi à entraîner Jean ? Papa ne répondait pas. Assis sur la rive, une herbe entre les dents, ses lunettes relevées sur le front, de ses tendres yeux de myope, il se régalait du spectacle : le bain des chevaux. Ça claquait, ça volait, ça dansait, l'eau comme de grosses fleurs scintillantes, des colliers de cristal accrochés aux crinières et les mouches furieuses, bourdonnant au-dessus de leurs proies inondées, inaccessibles. Au bout d'un moment, Lallie allait rejoindre les chevaux, elle enlevait sa robe d'un geste rond. Croisant les bras, les décroisant au-dessus de sa tête, elle apparaissait vêtue d'un costume de bain en laine cachou tricotée, avec des manches. Et moi, sous ma culotte de cheval, j'avais pensé à enfiler mon maillot noir, décolleté en rond. Alors, racontez, il a toujours peur des chevaux, mon neveu Jean ? Veux-tu te taire, Lallie ? Je frappais l'eau pour l'arroser, ça giclait, ça ruisselait sur son visage rieur, ses cheveux, ses bras dodus. L'affreux costume de bain ne parvenait pas à l'enlaidir. A Lérézos... Mon Dieu, qu'est-ce qui m'arrive ? je lui parle de Lérézos, je lui raconte les martins-pêcheurs et la bergerie et Lallie et le bain des chevaux, bientôt ce sera le tour de Saint-Salien, Papa disait l'eau salée, c'est souverain pour les pieds des chevaux. Sur la plage de Saint-Salien, nous coursions l'alouette de mer. En selle. Il fait moins chaud que je ne le prévoyais, l'océan a lâché une coulée de vent, ça s'entend là-haut, à la cime des pins, je raconte l'alouette de mer, on l'appelle aussi chevalier des sables, mais les Landais disent c'est l'oiseau cavalier.

Et Léo avait bu, avait ri, s'était réchauffé. Vincent, qui pensait à tout, avait glissé un flacon d'embrocation dans sa canadienne, il avait frotté les bras du blessé, son dos, ses mains, même la jambe au-dessus du pied rompu. Et l'autre s'était contenté de soupirer. Vous êtes fous, pourquoi êtes-vous revenus ?

— Pour vous sauver de Rico.

— De Rico ?

Jean avait pris la parole, raconté l'intuition qui l'avait obsédé ; il l'étayait d'une vision plus ou moins fantaisiste, mais à coup sûr troublante : pendant les cinq minutes où il avait dormi, la nuit précédente, il avait rêvé de Rico armé d'un pistolet et tirant à bout portant sur une forme couchée... Ils étaient revenus pour assurer le retour de Léo à Chernet, ils ne le laisseraient qu'entre les mains du chirurgien qui remettrait ses os en place. Les fumants aventuriers d'Angleterre s'étaient mués en nurses, j'étais abasourdie, je les bombardais de questions et d'abord comment s'étaient-ils débrouillés pour retrouver Léo si facilement ? Je croyais que la montagne c'était traître, qu'on s'y perdait comme rien.

— Bien sûr qu'on s'y perd, dit Jean, on s'est perdus à un moment, à la fin de la nuit, et puis au petit jour on a retrouvé le chemin, je m'étais donné des repères, et Vincent a le sens de l'orientation.

Une lampée d'armagnac, un sourire de lauréat à un concours canin, Vincent se rengorgea, ma vieille antipathie s'en trouva fortifiée.

— Et l'autre professeur ? Elie ? Il ne se méfiait pas ?

— Il n'y pensait pas.

— Pourquoi ne pas l'avoir prévenu ? Pourquoi n'est-il pas parti avec vous ?

— Nous avons filé en douce, on te l'a déjà dit, ce genre d'initiatives, il faut que ça cavale, on n'a pas le temps ni l'envie de sonner le rappel.

— Mais Elie, c'était son ami.

— Et alors ? Nous, nous sommes devenus ses amis ? Tu vois une différence ?

Ils avaient réponse à tout, ma logique croulait devant la leur qui pourtant ne tenait pas debout, j'enrageais, je me sentais mesquine. Eux me regardaient de haut, m'écrasaient de leur somptueux désintéressement.

— Avouez. Avouez que ça vous faisait rigoler de jouer un nouveau tour à Rico. Après les brodequins, Léo.

— Si tu veux, dit Jean, glacial, si ça te plaît de penser ça, d'accord, je ne te contredirai pas : nous avons sauvé un homme pour nous amuser.

— Parce que... vous l'avez vraiment sauvé ?

Sans blague ? Il ne s'est pas rué à vos trousses, Rico ? Il a encaissé la farce comme un bon petit passeur bien sage, bien élevé ? Et son pistolet ?

— Elle a un humour fou, la cousine, dit Vincent.

— Fou, dit Jean.

— Vous me faites rire, je n'y peux rien.

— Je crois, dit Vincent, je crois que vous auriez préféré que Rico nous supprime tous les trois, Léo, Jean et moi, pan pan pan, trois petits coups bien francs de son pistolet.

Il ricana, poursuivit le récit. Il avait confectionné des attelles avec des morceaux de bois exhumés de la neige et leurs ceintures. Léo gémissait, gémissait. Ils avaient entrepris la descente, retrouvé le pas de la, le plateau du, la vallée des, tandis que, sur leurs épaules ou au creux de leurs bras, Léo ne cessait de gémir. Ils s'étaient arrêtés pour boire de nouveau, pour manger (des biscuits, des morceaux de sucre, un peu de chocolat), pour souffler aussi, c'est lourd, un homme, même un petit maigre, comme Léo. A la fin de la journée ils ne savaient plus à quelle initiative se vouer, ils avaient enlevé les attelles, les avaient remises, de nouveau enlevées. Ils avaient essayé trente moyens de transport pour aboutir à celui-ci qui remonte à l'enfance : la chaise à porteur, les quatre mains croisées forment la chaise et

Léo s'en était bien trouvé, il avait cessé de gémir pendant un bon moment mais eux, en revanche, leurs pauvres doigts... Heureusement, à la nuit, ils avaient retrouvé la cabane, la fameuse cabane de bergers avec son sol de terre battue, son humidité, sa puanteur.

— Alors ? dis-je, la gorge serrée.

— On s'est installés tous les trois, on a essayé de faire un feu, mais on l'a raté comme la première fois...

— Oui, dis-je, je sais, la chaleur animale, et après ?

— Et après, rien d'extraordinaire, on a veillé. On a parlé. Pour faire parler Léo, le soutenir. Il avait la fièvre, il ne s'est pas fait prier. Un sujet après l'autre. Sa famille, sa petite amie, il avait vraiment une petite amie qui habitait près de Censier-Daubenton, elle n'était pas juive, comme lui, ses parents ne voulaient pas du mariage, il pensait leur faire changer d'avis, ils étaient si bons, des professeurs retraités, sa mère s'appelait Sarah, ils lui avaient donné toutes leurs économies pour qu'il puisse s'enfuir.

— Il disait ça comme ça ? Il disait s'enfuir ?

— Mais oui, pourquoi me demandes-tu ça ? fit Jean.

— Je ne sais pas, je trouve ça triste comme mot : s'enfuir. Et sa petite amie de Censier-Daubenton, elle n'était pas triste ?

— Il ne me l'a pas dit. Tout ce que je sais c'est qu'elle s'appelait Isabelle, il comptait l'épouser après la guerre, il était sûr que tout s'arrangerait après la guerre.

— De quoi avez-vous encore parlé ?

— De livres, tu penses. Et de poésie. On récitait des vers ensemble. La nuit passait. A trois heures du matin, on a entendu des pas...

— Des pas ?

— Tiens, dit Vincent, vous n'avez plus envie de rire ?

— C'était Rico ?

— Oui, c'était Rico.

— Nous savions, dit Vincent, qu'il nous rechercherait, qu'il nous trouverait, mais...

— Mais ?

— Nous espérions que ce serait le plus tard possible. Au matin. Nous étions loin du matin.

— Alors ?

— Alors, nous avons lutté.

Jean. Dans la bouche de Jean, le mot lutter. Et coulé, respiré, naturel. Nous avons lutté, quoi d'extraordinaire ? Jean qu'une tache de sang fait blêmir, qu'un éclat de sa mère décompose, qui se moque de tout ce qui est prompt, violent, sauvage, il avait lutté et il en parlait, le petit doigt en l'air, mais le bleu de son regard fondait. Rico s'était rué sur la porte de la cabane qu'ils avaient eu soin de barricader, ils avaient parlé avec lui à travers un mur de planches renforcé par d'autres planches, mais il frappait de toutes ses forces. Ouvrez-moi, ouvrez-moi ou je fais sauter la cabane, j'y mets le feu, je vous tue, tous, *todos*. Et Vincent, d'une voix suave, répondait commencez par vous calmer et d'abord que voulez-vous ?

— De l'argent, hurlait Rico et, dans la nuit de la montagne, l'épaisse nuit, le froid, le cri montait, perçant, obstiné. De l'argent, de l'argent. Cent mille francs.

Comme pour les brodequins, Vincent avait discuté. Pourquoi cent mille francs ? Et Rico avait hurlé l'explication du décompte. Trente mille francs pour chacun, plus dix mille pour avoir essayé de le semer, ça faisait cent mille francs et il les voulait *subito*, tout de suite, et Vincent répondait vous êtes fou, Rico, nous n'avons pas cent mille francs et même si nous les avions, vous ne les méritez pas.

— Cent mille, cent mille, braillait le passeur.

— Si vous promettez de nous laisser en paix, vous aurez vingt mille francs, disait Vincent, pas un sou de plus.

Alors Rico avait recommencé de frapper contre la porte de la cabane. Jean était accroupi près de Léo terrorisé, il avait mis la tête du blessé sur ses genoux, murmuré ne craignez rien, il veut nous intimider, c'est tout. Mais Léo grelottait de peur autant que de froid et disait il est tout à fait capable de nous tuer si nous refusons de lui donner cet argent.

— Vous les aviez, ces cent mille francs ? demandai-je.

— Bien sûr, dit Vincent, j'avais plein d'argent caché dans ma canadienne. En francs et en *pounds*.

— Et Rico le savait ?

— Il s'en doutait.

— Alors, pourquoi ne pas l'avoir payé pour vous en débarrasser ?

— On ne se débarrasse jamais de types comme Rico, dit Jean. Une fois empochés ses cent mille francs, il en aurait voulu cent mille autres.

Ainsi il avait approuvé le marchandage. Jean qui me disait toujours parler d'argent me rend malade. Le jour où il faudra que je défende mes intérêts, je perdrai. Je me ruinerai. De dégoût. Il avait accepté, encouragé l'interminable bataille de sous. Le dialogue Vincent-Rico s'était éternisé et puis Rico avait fini par perdre patience. Il avait frappé plus fort sur la porte et il avait tiré. Des coups de pistolet qui avaient crevé la nuit, éveillé des échos sur les rochers avoisinants. C'est le moment, avait dit Vincent et il répétait la phrase, très calme, satisfait du suspens. C'est le moment. Il avait enlevé les planches croisées devant la porte et, tandis que Jean se redressait sur ses jambes, lent, maître de soi, il avait ouvert.

— Il a encore tiré ? dis-je, sur qui ? sur Léo ? Il l'a touché ?

— Non, dit Vincent, il n'a pas tiré. Ni sur Léo ni sur personne.

— Nous étions armés nous aussi, dit Jean, posément.

— Armés ? dis-je, tu étais armé, toi, Jean ?

— Oui, dit Jean, puisque je te le dis, j'étais armé.

— Et tu... tu sais tirer ?

— Vincent m'a appris.

— Mais avec quoi ?

— Des pistolets. Un belge, et même un boche, un Luger. Vincent les avait achetés pour notre première expédition.

— Il ne vous avait pas fouillés, Rico, avant de partir ?

— Si, bien sûr, mais on l'avait roulé. Une fois de plus, on l'avait roulé dans la farine...

Le rire de Vincent Bouchard. Il fallait être aussi bête que Rico pour s'imaginer l'éteindre. La scène de leur triomphe m'est familière, je la vis quotidiennement, je la recrée. Jean debout au fond de la cabane, visant les pieds de Rico pour atteindre son cœur. Vincent à droite visant son flanc pour atteindre sa tête. Et Léo couché, il a croisé les mains, il prie, il se répète sans eux je serais mort, je serais déjà mort.

Vincent avait dit Rico, donne-moi ton pistolet. Rico n'avait pas essayé de se défendre, il avait jeté son pistolet par terre. Ils l'avaient ligoté avec leurs ceintures et tenu en joue jusqu'au matin. Puis ils l'avaient enfermé dans la cabane, barricadant de nouveau la porte, mais cette fois de l'extérieur. Oh, ils comptaient bien qu'ils se déferait de ses liens, mais il lui en coûterait du temps et des efforts. Et il ne les poursuivrait plus. Sans armes, Rico n'était plus rien, rien, rien qu'un misérable petit montagnard que les hasards de la guerre avaient changé en voleur. Pour terroriser les gens, il n'avait plus que la cicatrice en forme de serpent sur son cou. Ils l'avaient donc vaincu et ils avaient bel et bien sauvé Léo. Dès le lendemain, dans l'après-midi, hâves, pas rasés, mais glorieux, ils le déposaient à l'hôpital de Chernet-les-Bains.

— Et maintenant, dit Jean, il ne pense qu'à venir nous retrouver, il nous aime beaucoup. Et nous aussi, nous l'aimons, c'est notre ami, nous repartirons tous les trois ensemble. Par un autre système, dans un autre coin. De ce côté-là, Chernet, l'Ariège, c'est cuit...

— Ah, et quand repartirez-vous ?

— Oh, bientôt, Jean eut un geste évasif, peut-être la semaine prochaine, ça dépend.

— Ça dépend de quoi ?

— De ce qu'on nous proposera, dit Vincent,

on veut un bon filon, on ne tient pas à se faire attraper parce que, vous savez, elle va encore durer longtemps, la guerre.

Il jubilait.

Nous avons voyagé, suivi des pistes muletières, des sentiers cyclables, des routins tracés par les lièvres ou les moutons dans l'épaisseur de la bruyère. Nous avons traversé des landes d'un vert anglais, concaves, marécageuses, des landes comme des fourrures, des forêts de jeunes pins, nous avons vu des arbres très hauts, très vieux, je pensais aux sequoïas d'Amérique (encore une obsession de Jean), nous avons passé sur la voie ferrée que rongeait l'herbe, sur la route départementale. Rencontré le Courlis, ses affluents tranquilles. Et des résiniers qui ramassaient la résine, chacun grattant son pot comme une casserole, et des faneurs dans les prés, échevelant le regain au bout de leurs fourches. De loin pas de visages, des chapeaux. Si on se rapprochait, chapeaux et fourches s'immobilisaient, le temps d'un regard sans malveillance, un simple constat. Tiens, c'est la fille Soyola avec un Allemand. Les gens de la forêt sont fatalistes, surtout l'été avec les gros travaux, ils ont dû poser le même regard sur les soldats qui poursuivaient l'Algérien et si, par hasard, il s'est montré à eux, je parie qu'ils ont dit tiens, un prisonnier, et ils lui ont donné à manger sans poser de questions. Nous avons mis pied à terre, la fougère parfois nous montait aux épaules, le cavalier sifflait, le vent de mer lui répondait. D'une métairie endormie sous ses chênes, un roquet s'associait au concert. A Lérézos, nous avons vu les martins-pêcheurs, mais nous n'avons pas dessellé, les chevaux ont bu, mais ils ne se sont pas baignés, le fantôme de Lallie en maillot cachou n'est pas venu errer parmi les salicaires, nous avons évité le village, les vieux comme des santons assis devant leur porte entre des pots de bégonias, et les villageoises (elles sont moins indulgentes que les métayères, moins sereines.) Nous avons évité le chemin de sang, le coin de forêt où les chiens policiers ont eu leur curée hier, c'est ma faute, c'est la faute du temps qu'il fait, des odeurs que libèrent l'eau, la résine et, sous le ventre des fougères, la terre qui a chaud. C'est la faute des chevaux dont le pas ne faiblit pas et qui s'amusent, c'est la faute du vent de mer, de la mer, c'est ma faute. La mort, mon corps la refuse soudain, il va si bien, mon corps nourri de lumière et d'odeurs, je pense à ma mère qui aimait tant la vie. Le cavalier siffle une phrase qui se gonfle et croît et s'enroule, comme une floraison accélérée, comme une source qui se hâte, le courant à deux pas de nous balaye des vergnes, des barques abandonnées, je frissonne. Tous les ans, au quinze août, Bonne-Maman nous offrait une promenade en barque sur le courant d'Huchet, pas loin d'ici. On partait de l'étang de Léon, la barque était peinte en bleu, garnie de coussins, Feuzojou s'installait à l'arrière. Bien que déjà protégée par un panama drapé d'une voilette, elle ouvrait une ombrelle à frange (blanche l'ombrelle, mauve la frange) et discutait avec le batelier (flore, faune, folklore, tout y passait, parfois même, le dialogue roulait en patois). Au début de la promenade, nous ne prêtions pas grande attention à ces bavardages, l'étang nous accaparait avec ses flotilles de nénuphars, ses poissons, leurs sourires voraces à la surface de l'eau, et les familles de Landais navigant comme nous en l'honneur de la Vierge, le pépé apoplectique chaviré à la proue, la mémé, style Feuzojou, figure de poupe altière et chapeautée. Hé, leur criait Jean, il y a un noyé accroché à votre barque. Tantôt on l'insultait, tantôt des rires saluaient sa plaisanterie, Feuzojou le grondait sans conviction, Eva disait tais-toi, tu vas nous porter malheur. La barque bleue filait, le batelier jetait l'ancre dans un petit golfe, échangeait les rames contre une gaffe, on entrait dans le courant d'Huchet. Soudain, nous n'avions plus faim que de silence, tout était si mystérieux, si angoissant : la jungle saoule qui s'effondrait sur l'eau, les corridors de branches et parfois même les tunnels, les allées de roseaux, les haies de cyprès chauves — pas chauves du tout en cette saison, au contraire, accablés sous un feuillage frisé au petit fer, mais surtout, oh, surtout, environnés d'un peuple de monstres surgis de terre, noirs, aveugles. De sa voix grimpée, Feuzojou avait beau nous assurer que ces monstres n'étaient que les racines grâce auxquelles, l'hiver, les cyprès pouvaient respirer, Jean maintenait sa version. Ce sont des diables, d'ailleurs ça sent le diable ici, tu ne trouves pas ? Je disais oui, je voyais ma figure penchée glisser sur l'eau parmi des ombres suspectes, des chevelures sans visage, je respirais l'odeur des herbes, celle des feuilles mortes, j'avais peur, mais j'aimais ça, tout ça, la douce pourriture, les diables, les secrets de l'eau si abominables qu'ils pussent être, il me semblait que mon âme s'échappait de moi, il ne me restait que mon corps, je me sentais maudite, ce n'était pas désagréable puisque Jean était là. Je profitais de la rencontre avec les cyprès chauves pour me rapprocher de lui dans la barque. Un peu plus loin, nous croisions des hibiscus, un buisson de fleurs d'un rose un peu fade, mais sur le mur de notre voyage, d'un vert si sombre et oppressant, c'était un soulagement. Le sang revenait au visage de Jean, il disait c'est la manne. Un quinze août, tante Eva essaya de cueillir une branche d'hibiscus au passage, je crus qu'il allait la battre. Vandale, tu ne sais pas que ce sont des fleurs sacrées, les hibiscus ? Une autre fois Bonne-Maman demanda au batelier de s'arrêter. Elle, carrément, elle voulait déraciner des plantes. Et pourquoi n'aurais-je pas des hibiscus dans mon potager ? Alors Jean se dressa debout au milieu de la barque. Je vous laisse à vos sacrilèges, je vais marcher sur les eaux... A l'arrière, l'ombrelle balla, tante Eva eut un râle et moi je criai vas-y, Jean. Je n'oublierai jamais son expression, sa pâleur, je devais avoir onze ans, lui treize, j'étais persuadée qu'il allait réussir, s'élancer, prenant appui sur une branche cassée, glisser, flotter, décrire des figures, des huit, patineur, cygne ou... *Ou*, il se prenait plutôt pour *ou*. Il demeura en équilibre, un pied en l'air, à la proue du bateau, Eva et Feuzojou s'égosillèrent, le batelier frappait l'eau en cadence, moi, j'attendais le miracle. Vas-y Jean. Mais il se retourna, l'air malade, des cernes sous les yeux, il ouvrit la bouche, la referma. Renonçant à ce qu'il voulait dire, il entreprit d'agiter le bateau pour nous faire chavirer, sauta d'un pied sur l'autre, lourdement, s'aida des mains, à droite, à gauche, c'était la tempête. S'il continuait, devant les hibiscus, ce serait le naufrage. Le batelier laissa échapper la gaffe, Feuzojou perdit son ombrelle et s'écroula sur la cale, Eva tomba sur elle, cria cesse, je t'en conjure, cesse mon petit garçon... Tous mouraient de peur, sauf moi. Moi, j'étais éblouie. Le soir, je félicitai Jean, il accueillit mes compliments avec condescendance. Je leur ai fait peur, hein ? Bien bien peur, tu es sûre ? Tu crois qu'elles auraient eu encore plus peur si j'avais marché sur les eaux ? Plus tard, il n'y a pas si longtemps, il m'a dit puisqu'on ne peut pas faire de miracles, alors faisons des farces...

Je fais une farce à la mort, je la sème, je l'oublie, je vis et je ne m'occupe que de ça. Comme au temps de mon enfance, sur le courant d'Huchet, mon âme m'a quittée, je n'ai plus que mon corps et je suis bien dedans, seule avec un homme sans nom, un homme-cheval, il me suit, il siffle, les chevaux sont contents, je rêvasse, l'heure ? Le soleil a parcouru un long morceau de route, il est peut-être quatre heures, peut-être cinq, davantage, la mer se rapproche, elle aussi se moque de la mort, l'engloutit, elle lave le sang, elle couvre de son tonnerre les aboiements et la peur. Et le chagrin. Nous laissons sur la droite les douze bicoques de Saint-Salien, le petit phare rayé en spirale, noir et blanc. Semée de chardons bleus, de liserons des sables aux fruits pareils à des grelots, la dune bouche l'horizon. Le dernier contrefort de forêt a été enseveli, un hiver, sous une marée sauvage. Restent des arbres pétrifiés dans des poses d'oiseaux. Nous avançons à la rencontre de la mer. Dans le sable de sucre, les fers des chevaux laissent de vagues traces, le temps est aboli, seule compte cette marche vers la mer, la dune qui se fend, se déchire, mes souvenirs se pulvérisent, j'ai huit ans, j'ai quinze ans, j'en ai douze, treize, il avait composé un poème à la gloire de l'Atlantique, Saint-Salien rimait avec ophidien, c'était signé Satané Salien, il disait l'Océan n'est ni bleu ni vert ni gris, il est céladon ou zinzolin, ça dépend de l'humeur des noyés, de la couleur des cheveux des noyées, des galères englouties et du ventre des requins, il disait le requin est mon animal préféré. Nous avançons. La plage est un désert (il n'y a pas d'estivants à Saint-Salien en temps de guerre, il y en avait déjà si peu en temps de paix). En face de nous, les vagues, l'écume, sa besogne laitière. A droite, un immense éventail de buée, il disait ce sont les limbes. Nous marchons jusqu'au rivage, les chevaux sont à la fête, les vagues comme des chevaux, l'écume comme un jeu. Il dit Nina. Niina. L'i qui tremble. Et moi je pense à papa. L'eau salée, c'est souverain pour les pieds des chevaux, nous coursions les alouettes de mer sur la plage. Elles sont là, elles sont revenues.

Dans un coin du désert, une petite foule blanche. Quand elles s'envoleront, sur le sable mouillé, leurs pattes auront laissé des M et des V. Pas besoin de proposer à Querelle alors on les courses, les alouettes ? Pas besoin de le proposer à Ouragan. Chevaux-chevaux, chevaux-vagues, c'est le même élan, et les alouettes de mer s'envolent vers les limbes, s'y égarent, nous revenons, si on dessellait ? Nous dessellons. Sur un tronc d'arbre que la mer a lavé et rejeté, nous déposons les selles, les rênes, les brides, je frappe dans mes mains. Ouragan fait un saut de mouton, Querelle rejette la tête en arrière, agite sa crinière comme une femme qu'on admire, ils sont beaux, tout nus, le cheval citrouille et, devant l'océan zinzolin, le cheval presque-zain. Ils jouent, galopent, s'arrêtent pile, repartent, leurs sabots écorchent le sable neuf, creusent des trous que l'eau pénètre, il dit Nina si on faisait comme eux ?

— On se baigne ?

Je souris.

— Vous voulez bien ?

Sur le tronc d'un gris de squelette, à côté des selles et des rênes, mes bottes, ma culotte de cheval, ses bottes, son uniforme, sa tunique verte, sa casquette d'Allemand. Mon corps. L'eau sur moi comme une robe fraîche et longue, interminable. La mort n'existe plus, Jean nageait bien, mais jamais loin, il disait je serais un noyé grognon. J'ouvre les yeux sous l'eau, je vois glisser des paysages et de drôles d'algues, ce sont mes cheveux. Moi, je ne serais pas une noyée grognon, je croise des clartés, des ombres, je m'amuse. Tout est farce. Jean qui voulait marcher sur les eaux. Et mon père qui enleva ma mère à un militaire très convenable. Et Jean qui fait la guerre avec Vincent Bouchard, seuls, tous les deux, à Rauze, Gers. Et l'Algérien qui s'est enfui à la barbe de ses gardiens. Et Rico pris au piège, ficelé, enfermé dans la cabane de bergers. Et tante Eva, sa question de l'autre jour : tu ne fais que du cheval avec lui ? Que pourrais-je faire d'autre, Eva Cracra, tu as une idée ? Je rencontre, sous l'eau, le cristal de ses yeux, ses mains se posent sur moi, me hissent à la surface. Ses yeux, son visage ruisselant, sa bouche. Et le soleil, la mer, les limbes. Je n'ai plus d'âme, il m'embrasse. Son goût, le soleil, les limbes. Et si je l'entraînais loin dans l'océan ? Ce que les chevaux-chevaux ont manqué, les chevaux-vagues ne peuvent-ils le réussir ? Si, avec lui, je me noyais ?

Vincent Bouchard avait converti en salle de tir le cellier de la Viole, immense cave à laquelle on accédait par un escalier tournant, au fond du parc bien peigné, entre les écuries et le garage. Que les chevaux fussent absents des écuries, les garçons s'en souciaient comme d'une guigne (Vincent non plus n'avait pas l'âme cavalière), mais ils se moquaient également que la Delahaye bleu roi fût paralysée dans le garage, faute d'essence : le cellier leur suffisait, c'était leur royaume, ils y passaient le plus clair de leur temps. Naguère — on ne disait pas quand —, un distillateur y avait entreposé son armagnac dans des fûts d'un bois raffiné où s'élaboraient sa couleur, son parfum de violette. Quand le gros monsieur Bouchard avait acheté la propriété, les fûts avaient été chassés au profit du classique bric à brac des vacances : meubles de jardin, coussins, matelas, portique démonté, tricycles, bicyclettes, landaux, jeux de croquet, de deck-tennis, poupées. Et Vincent avait accroché, sur la pierre salpêtrée des murs, la plupart de ces objets de fortune. Pour les décorer ? Non, il n'était ni un artiste ni un collectionneur sentimental et un peu cinglé, il n'était pas cinglé du tout, il était ingénieux, qu'est-ce qu'elle dit de mes cibles, la cousine ?

— Que dis-tu des cibles de Vincent, Nina ?

Ecœurée, je regardais les chaises clouées par le dossier, les selles de tricycles, le long coffret du jeu de croquet, les matelas, des dictionnaires en proie à une absurde lévitation. Et les landaux comme des chauves-souris colossales, les poupées volantes. Une grêle brutale les avait ravagés, tout était percé de balles, troué, traversé. Il pouvait être fier, Vincent Bouchard, grâce à lui la mort rôdait au château de la Viole :

— C'est une bonne idée, dis-je,

Dès le lendemain de mon arrivée, ils m'apprirent à tirer, pourquoi attendre ? Ils cachaient leurs armes sous la terre du cellier, dans une cantine. Il suffisait de déplacer deux ou trois épaves, de gratter, de faire jouer des serrures. Soigneusement emmaillotté dans des chiffons et de la laine à matelas, le trésor apparaissait : deux fusils de chasse, d'un modèle assez désuet ; la carabine que l'on avait donnée à Vincent pour sa première communion (elle était fine, légère, un vrai bijou) ; le revolver avec lequel il prétendait avoir joué à la roulette russe l'année de sa philo (faute de balles ce n'était plus qu'un symbole, mais l'image me plaisait du fils Bouchard appuyant sur sa tempe le mince canon bleu) ; enfin, les deux pistolets qu'il avait achetés pour leur *âventure,* Dieu sait à qui et dans quelles conditions. Il y avait aussi, dans une boîte à gants, trois poignards, à manche d'argent. Jean exultait pendant le déballage. Tu vas voir, tu vas voir, c'est amusant, tout est amusant.

— Qu'est-ce qui la tente, la cousine ? Avec quoi voulez-vous commencer ?

Un marchand forain. A quel parfum les voulez-vous, vos berlingots ? Qu'est-ce qui la tente, la cousine ? Qu'est-ce qui me tentait ? Tu crois que la vérité t'aurait plu, Vincent Bouchard ?

— Le pistolet, dis-je, le pistolet allemand. Comme ça, si un jour je peux m'en procurer un...

— Vous en procurer un ?

Son regard visqueux, impudent. Son rire. Dans cette espèce de cimetière, son rire de tueur facétieux. Il enchaîna.

— Vous pouvez vous en procurer comme ça ? Pfftt, facilement ? Mais alors vous allez nous ravitailler en balles, c'est épatant...

— Quoi ?

— Vous avez des relations parmi les occupants. Vous allez vous en servir, non ?

Servie à point, sa phrase. Avec l'intonation voulue, l'ironie, les épices. Je ne rougis pas, ne frémis pas, je dis tout bas salut Cracra, tu n'as pas perdu de temps, salope. Je me demandai seulement comment elle s'était débrouillée pour lancer son venin sur une carte postale, elle n'a pas le don du rébus, Eva Cracra. Elle avait dû s'arranger pour faire passer une lettre à travers la ligne de démarcation, je l'imaginais écrivant en cachette, la nuit, sa porte fermée à clef, donnant des détails, les biffant, alternant candeur (ils passent leurs matinées ensemble à cheval) et réticence (bien sûr ce n'est pas une preuve mais quand même). Toujours elle fait un brouillon quand elle écrit à Jean et elle met des lunettes à monture d'or. Ses yeux, là derrière, deviennent ronds et plats, des pastilles. Je ne me pressais pas de répondre à Vincent Bouchard, j'évoquais les pastilles, les jambes croisées, les dents concassant le pain grillé et la haine noircissant l'écriture sur le papier à lettres, les jambages pointus des m et des n, les points d'exclamation par groupes de trois, salut Cracra, qui se charge de passer en contrebande ta prose de moucharde ? Je pris l'expression douce et déserte que j'avais mise au point à son intention et qui la faisait crépiter de rage.

— Des relations ? dis-je, qu'est-ce que c'est des relations ?

Mais Vincent devenait agressif.

— Vous connaissez un Allemand, quoi, vous le connaissez bien, non ?

— Je connais un Allemand, moi ? Un Allemand que tu ne connais pas, Jean ?

Jean rêvait, l'œil perdu dans le canon d'un fusil, il haussa les épaules, je m'y attendais : la calomnie de sa mère l'avait laissé indifférent. Du moment qu'il s'agissait d'un cavalier... Allez, cessez de vous asticoter, jouons. Il déposa le Luger dans le creux de ma main. Regarde, ça s'appelle un P. 38, c'est beau, non ? Il y a une aile au bout du canon, une autre au bout de la culasse, c'est le chien, le chien est une aile, c'est drôle n'est-ce pas ? Et là, sur le côté, la pièce de sécurité qui glisse de S à F, c'est une aile encore. F c'est pour Feu. Et la crosse on dirait du caramel, touche, en quoi est-ce fait, tu crois ? En quelle matière ? C'est lourd, tu trouves ? Ou bien c'est plus léger que tu ne l'imaginais ?

— Je ne sais pas.

Ils m'apprirent tout le boniment : la crosse et la culasse et la détente et les précautions qu'on doit prendre quand on charge, comment rabattre le chien en appuyant sur la détente, doucement doucement, après on arme puis, l'index droit recourbé, on tire, ON TIRE. Je tirais. Mais pas avec le Luger, avec le pistolet belge, la première fois le recul me surprit, je lâchai le pistolet, la balle creusa un trou dans le mur en face, au ras du sol. La seconde fois je visai une poupée hideuse, chauve, sur ses joues l'eczéma des hivers. J'atteignis, un mètre au-dessus, la capote étoilée d'un landau.

— Ne t'en fais pas, dit Jean, ça viendra, observe-nous, observe Vincent, c'est un as, et moi, je ne suis pas mauvais du tout, j'ai fait des progrès, tu aurais dû me voir au début, j'étais nul, bien plus nul que toi.

Et maintenant, c'était un tireur de bonne

race, enjoué, insatiable, acceptant les complications, les difficultés, capable d'en inventer à son tour. Il a plus d'imagination que moi, disait Vincent. Ils avaient mis au point de véritables numéros de cirque : aux quatre coins du cellier, des armes différentes étaient posées ; il fallait courir de l'une à l'autre, s'agenouiller, s'asseoir, viser des cibles désignées d'avance, tout ce petit ballet en un temps record ; ils appelaient ça la multiplication. Réfugiée dans un coin du cellier où je ne risquais rien, j'observais comme on me l'avait recommandé. Vincent Bouchard prenait le départ comme un coureur de fond, sa grosse patte soulevait les armes avec tendresse, et Jean le singeait, adroit et doux, possédé. Le recul secouait leurs bras, parfois tout leur corps. La langue de Vincent comme un morceau de viande crue, et Jean livide, plus que livide, transparent comme quand il prenait le jardin de Nara pour Jérusalem où quand, le quinze août, à Huchet, il voulait marcher sur les eaux. Ils tiraient, tiraient, tiraient. Je demandai, pour le principe, ce qu'en pensaient les gens du pays, s'ils ne protestaient pas contre la pétarade dans l'air privilégié de leur zone libre. Et les gardiens, là-bas, de l'autre côté du verger, ça ne les dérangeait pas ? Que disait l'homme quand il râtissait les allées et la femme quand elle venait faire le ménage au château ? On m'envoya promener, moi, mon bon sens ct mon goût de la petite bête. Le cellier était en sous-sol, tous les bruits y étaient engloutis, je ne le croyais pas ? eh bien, je n'avais qu'à m'en rendre compte moi-même, on m'invita à m'asseoir là-haut dans la Delahaye ou dans un box, à tendre l'oreille. J'obéis, je fis le guet, je dus me rendre à l'évidence : la guerre de la Viole ne faisait pas de bruit. A peine, de temps en temps, comme le claquement d'un bouchon de champagne. Vincent était prudent. Et patient. C'est lui qui m'apprit à calculer mes distances, à épauler, je réussis plus vite avec les fusils et la carabine, renonçai à tirer au pistolet, Vincent semblait regretter chaque balle. En revanche il n'était pas avare de cartouches, il affirmait en avoir suffisamment pour soutenir un siège. Le temps passa, la semaine, tous les jours nous tirions dans le cellier et nous lancions les poignards comme des fléchettes à la foire, ils s'enfonçaient dans des poupées à ventres d'étoupe et de toile, on entendait craquer la toile, j'aimais bien le rituel de ces meurtres douillets, le poignet que l'on balançait, la lame qui sifflait avant de s'abattre. Jean trouvait que j'avais le chic pour planter les poignards, tu ferais un très bon fakir, Nina.

— Pourquoi ? ils tuent, les fakirs ?

— Mais non, idiote.

— Ah, dis-je, c'est que... ils ne font pas la guerre, les fakirs. Tandis que vous.

— Quoi nous ?

— Vous, vous allez faire la guerre. *Fai-re-la-guer-re.*

— Et alors ?

— Vous allez tuer.

— Et alors ? dit Vincent.

— Ça sera moche, tu ne crois pas que ça sera moche, Jean ? ça ne sera pas comme ici, en tous cas, ici, c'est amusant, une farce, on cogne dans du bois, du carton, des vieux trucs. Imagine seulement quand tu taperas sur des gens, des hommes. Ton premier mort. Tu ne pourras pas l'épargner. Sinon c'est toi qui y passeras. Alors tu te diras allons-y, tu tireras. Même si tu ne vois pas bien sa figure, tu verras la grimace qu'il fera.

— Elle est macabre, la cousine, dit Vincent.

— Elle se croit drôle, dit Jean.

— Je ne me crois rien du tout, je pense à ce qui va vous arriver dans quelque temps, très vite, ils vous feront faire la guerre, les Anglais. Il faudra bien qu'on tue les Allemands. Vous tuerez, je vous dis, vous tuerez et, comme vous êtes très calés en tir, vous tuerez beaucoup. Des tas de types, des salauds et puis aussi d'autres qui se foutaient de la guerre, pas méchants. jeunes, des types de votre âge...

— Tu as fini ?

Feignant la consternation, je murmurai je te demande pardon. Nous étions à la veille de mon départ de Rauze.

Dans une bergerie. Comme une bergère, comme toutes les filles de la campagne à la belle saison, comme n'importe qui, je suis n'importe qui et lui n'importe quel homme, la mer est tout près, je l'entends et j'entends les chevaux, ils sont attachés à un arbre, ils mangent de l'herbe. Quand nous rentrerons ils auront double ration d'avoine, nous rentrerons cette nuit, la lune comme hier sera pleine, la forêt éclaboussée de gris, on nous accueillera avec des cris, des questions, je mentirai, et lui aussi il mentira. En allemand. Nous sommes couchés sur un lit de fougères. Non, je ne pense pas à Papa, à nos campagnes d'autrefois, à nos voyages, la lumière du soir se glisse par le toit crevé, les planches disjointes, c'est une bergerie abandonnée, tant mieux, elle ne sert plus qu'à recueillir des gens comme nous, des corps qui se sont rapprochés. Il est contre moi. Dans la lumière qui se fane, je nous vois. Mes jambes et ses jambes, son ventre d'homme, je ne ressens ni peur ni dégoût, j'avais dit à Jean je veux être ta femme, c'est pour ça que je suis venue à Rauze. Il écarte de mon cou, de mon visage, mes cheveux trempés d'eau de mer, il m'embrasse, il prend son temps, on dirait qu'il se croit encore là-bas, sur la plage, sous l'eau, il m'embrasse, m'enferme dans ses bras, me serre contre lui. Je veux coucher avec toi, Jean, c'est normal à notre âge et puis il y a si longtemps que j'attends, si longtemps. Il avait ri. Si longtemps que ça ? Ne ris pas, viens dans ma chambre cette nuit, tu viendras ? Lui, il se tait, il n'a pas dit un mot depuis des heures. Quand nous sommes arrivés devant la bergerie, il montait Ouragan, il l'a arrêté, nous repartions pour Nara, nous avions pris un bain de mer, nous repartions, il a arrêté Ouragan sans un mot. J'ai attendu cinq nuits de suite, ma chambre était à côté de la tour, j'ouvrais la fenêtre en grand, l'odeur du chèvrefeuille montait, je me penchais à la fenêtre, je voyais l'allée de sapinettes, je comptais jusqu'à mille, puis de deux en deux, jusqu'à deux mille six cent douze. Ma chambre était petite avec un papier très laid sur les murs, des fleurs violines comme des poumons de bœuf dans le jour, j'éteignais toutes les lumières, la lune entrait dans la chambre, les poumons redevenaient fleurs, je les comptais, je dénouais mes cheveux, mon lit était grand, les draps plus fins que ceux de

Nara, je respirais le chèvrefeuille et je priais, je faisais des promesses. S'il vient ce soir, mon Dieu, je jure que. Si je suis sa femme ce soir je, oh, je. J'entends la mer, il me serre contre lui de toutes ses forces. Le premier. Pour moi, le premier. Je n'ai pas osé demander à Papa tu n'étais pas triste de penser que tu n'étais pas le premier ? Pour *elle* le premier ? J'ouvre les yeux. Sur son visage d'habitude si grave, je vois une espèce de joie. Pour moi un corps. Pour lui la joie. J'avais dit à Jean je veux coucher avec toi pour te connaître vraiment.

— Tu ne me connais pas vraiment ?

— Ne te moque pas. Pour connaître vraiment quelqu'un, il faut la nuit, des choses un peu effrayantes.

— Effrayantes ?

— Oui, pour commencer un peu effrayantes. Après plus du tout, après c'est la joie.

— Comment sais-tu tout ça ?

— Je t'aime.

— C'est une raison ?

Il m'avait tiré les cheveux. Je l'ai attendu six nuits de suite. Les yeux brûlés, je voyais la nuit par la fenêtre et puis la fin de la nuit, dans l'allée de sapinettes des morceaux de jour, les fleurs sur les murs reprenaient leur couleur de sang malade, je priai encore. La septième nuit, je me suis levée, j'ai marché dans les corridors de la Viole sans allumer, à tâtons, j'ai rencontré des ombres, des odeurs, celles qui s'éveillent dans l'obscurité des maisons, je suis arrivée à sa porte, j'ai gratté, j'ai frappé, rien. J'ai frappé plus fort et je suis entrée, il dormait, un bras autour de sa tête, l'autre sur le drap. Quiet, loin, retranché.

— Jean, écoute, c'est moi.

Il n'a pas changé de position, il ne s'est pas redressé. Son bras au-dessus de la tête et l'autre sur le drap, il ne me faisait pas la grâce de paraître surpris ou troublé ou content. Même pas dérangé, il ouvrait les yeux et souriait poliment.

— Jean, c'est ma dernière nuit ici.

— Reste quelques jours de plus.

— J'ai promis à Papa de rentrer à Nara.

— Si tu lui as promis...

— Je reviendrai, si tu veux.

— C'est ça, reviens, reviens vite, mais reviens avant que nous ne partions pour l'Angleterre.

— Emmène-moi en Angleterre.

— Tu es folle ? Une fille. Une fille de ton âge. Et si nous tombons sur un autre Rico ?

— Je n'aurai pas peur.

Son sourire changea, de poli devint dur, puis ennuyé, je me suis approchée de lui. Tu veux bien ? A côté de toi ? Il secoua la tête. Non, Nina, non, ce n'est pas possible.

— Mais pourquoi ?

— Je ne sais pas, ce n'est pas possible, c'est tout. Je n'ai pas envie de choses effrayantes, je n'ai pas besoin de ça pour te connaître.

— Tu as peur ? Dis, tu as peur ?

— Oui, si ça te fait plaisir, c'est ça, j'ai peur de toi.

Je tombai à genoux et me mis à pleurer contre son lit, j'entendis sa voix au-dessus de moi. Calme-toi. Il sortit de son lit, me releva. Comprends, essaye de comprendre, peut-être qu'un jour. Je pleurai, la figure dans sa veste de pyjama. Un jour ? Quand ?

— Je ne sais pas, sois gentille, ne me tourmente pas.

J'en avais assez tout à coup, c'était trop bête, tout était trop bête, moi la première, et lui qui ne savait pas quel rôle jouer. Sa guerre de guignol, ses coups de pistolet, son Vincent et sa peur qu'il baptisait tourment, un mot niais, commode, prononcé avec l'accent de Bordeaux : *tourmont*. Pour qui se prenait-il ? Je le frappai comme autrefois quand il me racontait des histoires qui ne me plaisaient pas ou qu'il faisait des projets d'avenir dont j'étais exclue. Il me rendit mon coup, bon, bien, ça, je préférais, je comprenais davantage, nous avons roulé par terre, je retrouvais le Jean que j'aimais, échauffé, râleur, il n'avait plus son sourire poli, et son tourment, je m'en fichais, il était en colère. Sauvage, cette fille est une bête sauvage. Je me battais, j'allais mieux. Avec lui aussi, je me bats, la bagarre prévue. Dans la nuit maintenant tombée, les choses effrayantes. J'entends la mer, les chevaux, ils ne sont pas inquiets, ils mangent l'herbe. Pendant un instant, j'ai cru. Entre Jean et moi, le destin comme une aile. J'ai cru, j'ai espéré. Mon Dieu, j'ai dit, au fond vous aimez le bonheur, tout s'arrange. Il était couché face à moi sur le plancher. De ses deux mains, il maintenait mes bras, j'étais comme manchotte, clouée sur le flanc, immobile. Sa colère fondait, ses yeux bougeaient doucement, il se demandait peut-être et si elle avait raison, la bête sauvage ? Son visage s'approchait du mien, grossissait, lent, résolu, je voyais ses cils, la petite roue sombre dans son iris bleu, ses taches de rousseur, la buée au-dessus de sa bouche, sa bouche. Embrasse-moi les dents. J'ai embrassé ses dents comme autrefois, comme toujours à Nara. Nina. Nina, il m'appelle, me demande quoi ? que veut-il, le cavalier ? que veut-il savoir ? je n'ai rien à dire, qu'il reste avec moi, ainsi, qu'il reste et m'enroule et s'enlise et que tout tourne doucement, le ciel plus pâle dans le toit crevé, la mer, les chevaux et Jean tel qu'il était, contre moi sur le plancher de sa chambre, à la Viole, tel que je l'ai embrassé, loin, bien, et qu'il m'a embrassée, aussi loin. Alors Vincent Bouchard est entré. Mais qu'est-ce qui vous arrive ? Jean s'est détaché de moi, tranquille.

— Tu vois, on se bat.

— Vous vous battez ? Mais pourquoi ?

— Comme ça, pour rire, une vieille manie, on se bat, c'était notre jeu préféré.

Il tenait toujours mes mains prisonnières, mais il ne me regardait plus et moi je restais couchée, clouée, ne souhaitant plus qu'une catastrophe, que la maison s'écroulât, la fin du monde. Tu vois, on se bat. Une vieille manie. Notre jeu préféré. Tranquille et plaisantin. Salaud, salaud. Il me trahissait. Pour ce chien à gueule rouge, ce faux Anglais, ce faux conspirateur, ce guerrier sans guerre, il me reniait. Leur secret, soudain. Non, oh non, ce n'est pas possible, Jean.

— On ne se battait pas, tu mens, on s'embrassait.

— Curieuse façon de s'embrasser, dit Vincent.

Alors Jean, lâchant mes mains, me lâchant tout à fait, se relevant, très calme :

— Et on y va carrément, ça, on n'a pas peur des coups. Cette fille, mon vieux, c'est une bête sauvage.

Il s'approcha de Vincent, en pyjama lui aussi et, de son bras, lui entoura les épaules, affable comme s'il voulait se faire pardonner. *Leur secret.* Le destin était un marécage et Dieu n'aimait pas le bonheur, il aimait la mort et que tout fût triste et pourri. Au passage, un gros rire, ah ah ah, on se bat. Je me suis relevée, aussi calme que Jean.

— Menteur, tu n'es qu'un menteur et un lâche, on ne se battait pas, c'est maintenant qu'on va se battre.

J'ai marché droit sur Vincent et j'ai frappé au hasard de toutes mes forces. Jean a tenté de me maîtriser, je l'ai frappé à son tour, alors les coups ont plu sur moi, mais rien ne m'aurait fait cesser. J'ai frappé longtemps. Jean et Vincent et Vincent et Vincent et Jean. Des têtes, des bras, des poitrines. Et des joues, des bouches. Je cognais, je griffais. De temps en temps je regardais le carnage. Du nez de Jean, coulait un filet de sang, Vincent avait une balafre sur le cou, je pensais à la cicatrice de Rico, j'aurais pu rire, j'avais le poignet tordu, mal dans mon corps, j'ai continué de lutter un bon moment contre leurs quatre bras et puis, je ne sais comment, j'ai perdu l'équilibre, alors ils m'ont jetée hors de la chambre. La lune glisse par le toit crevé, les chevaux ont dû se coucher dans l'herbe, je n'entends plus leurs pas, j'entends la mer, je *le* regarde. Le premier, l'inoubliable. Et je ne sais rien de lui, je ne veux rien savoir, ni son âge, ni où se trouve sa maison, s'il a une mère, une sœur qui lui ressemble, maigre, intense, les mains fraîches. Je me moque de ses souvenirs et de son enfance, des étés de sa vie, des plages, des femmes qu'il a tenues contre lui. Il est là, c'est tout ce que je lui demande, il est là, venu d'un pays dont je ne sais rien sinon qu'il signifie déferlement et calamité, il est là, nu, silencieux, juste assez effrayant, le cavalier du petit matin, un corps, personne. Et je couche avec lui et je sais que le plaisir va passer sur nous comme la colère de Dieu. J'ai jeté mes affaires n'importe comment dans ma valise et j'ai couru jusqu'au garage chercher ma bicyclette, il ne restait plus qu'une lumière dans la maison, à la chambre de Jean. Ils devaient se consoler, les complices, panser leurs écorchures, répéter ah, cette bête sauvage, cette bête sauvage, à moins que. A moins qu'ils. J'ai pédalé pendant trente-quatre kilomètres sans m'arrêter. Dans les jardins noirs on ne voyait plus le lilas. Seul, flottait son parfum, je suis arrivée à Gillac un peu avant l'aube, j'ai crié il y a quelqu'un ? J'avais froid et mal dans les jambes, le dos, partout. Monsieur Boisson est apparu en chemise de nuit à galons rouges, ses pieds dans des pantoufles de feutre à carreaux. J'ai regardé les galons, les carreaux, la vieille figure affolée, l'aube sale sur la maison, tout basculait, une poussière orange me brouillait la vue, je suis tombée. Qu'est-ce que tu as ? qu'est-ce qu'on t'a fait ? Monsieur Boisson m'a soignée avec son vin de framboise. Comment t'es-tu arrangée pour te faire tous ces bleus ? Ne me dis pas que tu as débourré un poulain. C'est que. C'est que tu en es tout à fait capable. Je l'ai assuré que je n'avais pas débourré de poulain, il n'y avait pas de cheval là où j'étais, seulement des pistolets, des poignards, des fusils. Et des apprentis tueurs. Je vais grelotter, je le sens, déferlement et calamité, tout mon corps consent, il répète mon nom et il y ajoute un mot à lui que je ne comprends pas, je grelotte et je vois la bouche de Jean, son cou caramel, la roue sombre dans l'iris bleu. Et lui que voit-il ? que voit-il tandis qu'il bat contre moi, qu'il bat de tout son corps et se bat avec moi. Mon animal préféré, c'est le requin. Pourquoi, Jean ? A cause des dents ? Nous avons traversé la ligne de démarcation à onze heures, les soldats de garde semblaient aussi rêveurs et tranquilles que lors de notre premier passage, l'homme aux canines d'or m'a reconnue et gratifiée d'un nouveau *cheuneu Mademoiselle,* j'avais l'impression de revivre un songe, c'était douloureux, je connaissais le réveil. A Mont-de-Marsan, dans le magasin de Monsieur Boisson, assis sur un comptoir, Papa m'attendait, j'ai couru vers lui. Ma Nina que t'a-t-on fait? Mais que t'a-t-on fait ? Il me serrait dans ses bras. Et lui, il m'écrase et il m'embrasse. On s'était embrassés, Jean et moi, comme des amants, je le jure, mais mon amant c'est lui, le cavalier, l'homme des calamités, le doux, le maudit. La lune jette sa cendre sur la fin de notre bataille, il s'étire et grelotte et pleure. J'ai compris, je réponds, je reçois la vie d'un homme venu porter la mort.

5-6 AOUT 1944

Que savent-ils à la maison ? Qu'ont-ils deviné ? Je frappe chez Papa, j'attends un peu, j'entrouvre la porte, le lit n'est même pas défait. Sans doute est-il parti retrouver ses mystérieux amis. Si je devais faire le compte des nuits que, depuis deux ans, il leur a consacrées et des aubes où je le découvre penché sur moi, tout joyeux de m'arracher au sommeil, me couvant d'un regard exalté, presque fou... Je guette dans le corridor, devant la chambre d'Eva Cracra, celle de Feuzojou. Elles ronflent l'une et l'autre, mais de façon différente. Une marmite et une bouilloire. Le colonel qui a remplacé Mains de Cire dort, lui aussi, je l'ai baptisé In Extremis, il ne doit pas peser beaucoup plus qu'un enfant de treize ans. Dans ses yeux aux cils de poupée, quand il me salue, je lis la panique, pourtant son sommeil semble calme, son souffle est régulier, alors je me dirige vers ma chambre. J'ai oublié de fermer la porte à clef, je tourne doucement le loquet de cuivre, j'accélère le pas, je n'ai plus de précautions à prendre, vite le lit. Le lit. Je m'attends à trouver la trace du passage de tante Eva, je tire la couverture, le drap du dessus... Non, Eva Cracra n'est pas venue ici. Ni sous l'oreiller ni sous le traversin, il n'y a de croix gammée découpée dans du carton ou dans un bout d'étoffe. Je pousse le volet d'une fenêtre : en quelques minutes, la nuit a changé de couleur, mais le jardin est toujours désert et, là-bas, sur l'airial devant les écuries, je ne vois rien bouger. L'eau du robinet a goût de fer, tant pis, je bois et m'étends tout habillée, jamais je ne pourrai dormir. Immobile, cramponnée des deux mains au bois de mon lit, j'ai l'impression de glisser, de tourner. Je me relève, le jour gagne, il fera beau, je me déshabille. Dans la glace j'aperçois une femme nue, des cheveux jusqu'aux reins, je dois la prévenir. Ecoute, toi, moi, tu sais que le moment approche ? L'autre nuit, j'ai rêvé de l'homme aux *aougues,* il marchait droit sur moi, brandissant des ciseaux, je ne bougeais pas, ne me défendais pas. Sur ma nuque, l'acier des ciseaux, le froid. Le matin, à table, râpant ses mains l'une à l'autre, tante Eva avait déclaré :

— Toutes les femmes qui ont été avec des Allemands seront tondues.

— Ah oui ? j'avais dit de l'air absent qui l'exaspère. Et comment sais-tu ça ?

— Je le sais. Ça suffit. Attention.

Sur elle, mon regard plus vide qu'un trou.

— Attention ? Attention à quoi ?

— Attention à toi. Quand les libérateurs arriveront, tu feras bien de te cacher.

Papa s'était levé de table. D'une main ferme, mais sans colère, il avait forcé sa sœur à se mettre debout. Et giflée. Deux gifles propres, calmes, sur une joue, puis l'autre. Eva était retombée sur sa chaise comme un sac de pommes de terre, elle avait feint l'évanouissement. Feuzojou avait jeté ses couverts dans son assiette à grand bruit. Paul tu es un monstre. Frapper une femme. Quel monstre.

— Je recommencerai, avait dit Papa, je te préviens, Eva. Chaque fois que tu l'attaqueras, je recommencerai.

Et moi, carrément niaise :

— Dis, tante Eva, de quelle couleur tu teindras tes cheveux quand ils auront repoussé ?

Elle était sortie de son évanouissement pour me jeter son verre à la tête. Mais on ne m'atteint pas si facilement, j'avais baissé la tête, le verre s'était fracassé sur la porte juste au moment où Mélanie entrait, un plat à la main. La colère de Cracra s'était retournée contre elle.

— Pose le plat, retourne dans ta cuisine. Va montrer à ton boche comme tu es belle.

Sur le visage de Mélanie, les larmes s'étaient mêlées aux gouttes de vin. Papa avait toisé sa sœur. Tu me dégoûtes. Nous avions quitté la salle à manger, tous les deux, sans nous excuser. Dans la cuisine, Mélanie se débarbouillait en reniflant, et monsieur Kurt, le successeur de monsieur Otto dans son cœur, lui caressait la joue. Il lui manque l'index de la main droite, je reverrai toujours cette main à quatre doigts sur la joue de Mélanie, une image de plus au secours de la fatalité. Nue devant la glace, je me pose des questions absurdes. Combien de doigts a-t-il, l'homme aux *aougues* ? Neuf ? Trois ? Deux ? Pas du tout ? Puisqu'il n'a pas de visage... Je tresse mes cheveux, j'enfile une robe fraîche, en piqué bleu, sans manches, il fera chaud. (Depuis une semaine, les grillons s'époumonnent. Vent du sud, beau fixe. Tous les matins, Feuzojou toque à son baromètre, soupire. Ses bajoues ont un luisant de lard.) Je m'agenouille devant mon lit. Pas pour prier. Prier qui ? pour quoi ? Je veux seulement vérifier que le pistolet est toujours à sa place. Dans le matelas, à gauche, près du mur. J'ai pris soin d'enrober le canon de flocons de laine, mais la crosse, sous la toile, je la sens, et le magasin de balles aussi. C'est là que je les ai cachés le 8 avril 1943, quand il me les a donnés. Le lendemain il partait pour le front, la Russie, par-là. Je lui avais dit je voudrais votre pistolet.

— Pourquoi ? Vous voulez me tuer ?

— Mais non.

— Tuez-moi, Nina, je vous en prie.

Nous étions dans l'écurie. Querelle dormait, il l'avait sauvée de la réquisition. Les boxes d'Ouragan et de Lilas étaient vides. Suivis d'un camion bâché, deux officiers de Saint-Salien avaient débarqué à Nara une semaine plus tôt. Chevaux, chevaux. Ils prononçaient le mot correctement, ces ch, ces v, ça leur était facile, ils étaient tapageurs, arrogants. C'est lui qui les avait reçus, Papa était absent, et moi, à leur vue, j'avais senti un écrou me serrer le cœur. Il avait discuté d'une voix égale, je devinais qu'il luttait avec acharnement, pour moi, pour lui, pour nos petits matins. A l'écurie, il avait continué la plaidoirie. Dans chaque box, devant chaque cheval. Il inventait ici une tare, là un signe de faiblesse. Je le regardais tâter les boulets, les flancs, hocher la tête, ébaucher une grimace. Les autres protestaient, dans leurs yeux brillait la convoitise la plus résolue. Je restais inerte, appuyée au mur, vaincue déjà. Mais lui se battait. Son bras posé sur le dos de Querelle, il se battait. En fin de compte, après une éternité de palabres, tandis que deux soldats braillards fixaient une passerelle à l'arrière du camion, les officiers avaient détaché eux-mêmes Ouragan et Lilas. Alors, il avait cessé de parler. Sur Querelle qu'il venait de sauver, il avait refermé la porte de l'écurie avec une rapidité de prestidigitateur. Il était pâle. Et moi j'avais vu partir le cheval de Papa, ses trois balzanes comme des bottes blanches. Et le cheval-citrouille, plus jamais je n'encaisserais ses sauts de mouton, on me volait sa bonne humeur. Dans un éclair, j'avais rêvé qu'à la barbe des deux voleurs je faisais sortir Ouragan du camion. En réalité, je n'avais rien tenté, j'avais regardé disparaître les croupes que j'étrillais et bouchonnais avec tant de soin et j'étais restée impassible, une bûche. Et une lâche. Mais j'avais une excuse de taille : on me laissait Querelle. Il était parvenu à ça. On me laissait ma jument, je devais accepter l'enlèvement des deux autres, je lui avais pris la main. Merci, mais qu'est-ce que vous leur avez dit ? Comment l'avez-vous sauvée ?

— J'ai prétendu qu'elle était pleine. Ils n'y connaissent rien, ils m'ont cru.

Pleine, Querelle, l'idée me bouleversait. La veille de son départ, dans l'écurie, tandis que j'écoutais la respiration de ma jument sauvée, je lui avais dit jamais je ne vous tuerai, vous entendez ? Jamais, jamais. Vous avez sauvé Querelle.

— Alors, c'est pour quoi le pistolet, Nina ?

— Pour rien, pour moi, un souvenir de vous.

Dans la sombre et douce odeur de litière, nous avions fait l'amour. Jusqu'au jour, aux premiers bruits. L'amour. Et soudain, j'avais pensé que mon corps allait retourner à la solitude, alors j'avais dit je vous en prie, restez, ne partez pas. Je sais, je n'aurais pas dû, mais c'était plus fort que moi, mon corps avait mal, déjà, et froid. Je l'ai dit et répété sans réfléchir. Ne partez pas, ne m'abandonnez pas.

— Taisez-vous, Nina.

Il me secouait, ses mains sur mes épaules. Taisez-vous, taisez-vous. Un homme écrasé, meurtri, des rides comme des coups de couteau. Et des larmes. Je n'avais jamais vu ça. Un homme qui pleurait. Même Papa, quand il parlait de ma mère, ne pleurait pas. J'avais bredouillé non, oh, non, pas ça, et je m'étais enfuie vite, jamais assez vite... En fin de matinée, je l'avais revu, il m'avait dit adieu officiellement devant Papa et ma grand-mère. Impeccable, très droit et même un peu guindé. Au revoir, Mademoiselle, et merci. Sa main dans la mienne était glacée.

— J'ai laissé un cadeau pour vous. Dans le box de Querelle.

— Merci, Monsieur.

Pas plus que son nom, je ne connaissais son grade. Il s'était incliné devant Feuzojou. Le gros œil bleu traînait sur lui, sur moi, s'attardait. En vain. J'étais parfaitement amorphe et lui, lointain, naturel : un fonctionnaire qui rejoignait son poste. Il avait tourné les talons, j'avais pensé jamais plus je ne le reverrai, il va mourir, personne ne saura que pendant huit mois j'ai couché, nuit après nuit, avec un Allemand et, d'un pas mou, flegmatique, sans attendre que sa voiture eût disparu dans l'allée de Nara, j'étais retournée à l'écurie. Sous les harnais, bien cachée, j'avais trouvé une boîte. Dedans, il y avait le pistolet, le Luger, mon cadeau. Je l'avais laissé là pour la nuit, puis, juste avant le matin, j'étais allée le chercher, je l'avais enfoui dans le matelas de mon lit. Feuzojou ne m'avait pas ratée.

— Peux-tu nous dire ce qu'il t'a offert, l'officier qui aimait tant les chevaux ?

Moi, sans hésiter, limpide :

— De l'avoine, tout un sac.

— Tu es sûre ? avait murmuré Eva.

— Pourquoi ? Tu es jalouse ?

Et Papa :

— Tu crois que ça serait bon pour ton foie, Eva ? De l'avoine ?

Le ciel est du bleu des menthes sauvages, je vais mener Querelle et son poulain au pré, nous passerons devant la maison, lentement, ostensiblement. Monsieur Kurt sortira de la cuisine. Dans sa main à quatre doigts il y aura un morceau de sucre coupé en deux ou deux tronçons de pommes, il dira : *cheuneu pferdé,* ça veut dire, je pense, les jolis chevaux. Querelle prendra son air méfiant, l'encolure dressée, les naseaux grands ouverts. Après quoi, nous traverserons le village, j'entendrai le classique commentaire : il grandit tous les jours, votre enfant, mademoiselle Nina. Et je retrouverai sœur Marie-Emilienne, comme une mouette grise et blanche, posée contre la barrière du pré, elle caressera le poulain, de l'ongle, entre les oreilles, elle tirera son toupet. Dire que je t'ai vu naître. Et moi je détacherai les licols, je frapperai dans mes mains. Allez, jouez, vous êtes en vacances. Et je dirai à la sœur venez parler avec moi.

— Mais je n'ai pas le temps.

— Oh, si, juste cinq minutes. Je n'ai plus personne à qui parler là-bas.

Assises au bord du ruisseau ou, s'il fait trop grand soleil, à l'ombre d'un noyer, nous parlerons. Pressés, dispersés, des souvenirs faciles, toujours les mêmes, nos paroles comme un bruit pour couvrir celui qui cogne au fond de nos cœurs, comme un chant versé sur l'épouvante. Elle me dira, la voix baissée, alors et ton père ? Toujours la même chose ? Je répondrai il disparaît de plus en plus souvent, la dernière fois que je l'ai vu c'était hier après-midi. Alors elle joindra les mains sur sa bouche. Ses lourdes paupières closes, elle priera. Sainte Vierge, Sainte Vierge. Et pendant un instant, je resterai enchaînée à cette vision de Papa qu'elle m'a mise en tête : il vient d'être arrêté. Deux soldats le poussent devant eux à coups de crosses de fusils. Il trébuche, il perd ses lunettes, il sera fusillé. C'est arrivé à un commerçant de Lit-et-Mixe, à un propriétaire du côté de Biscarosse, à beaucoup d'autres, là-haut, près de Bordeaux. Elle me dira mais pourquoi s'occupe-t-il de ça ici, à Nara, où les Allemands ont été si corrects ? Et là, je ne lui répondrai pas. Mais parfois quand je n'arrive pas à dormir, quand une nouvelle éclipse de Papa me force à rester assise dans mon lit, les bras croisés pour ne pas trop sentir taper mon cœur, je me dis que s'il agit ainsi, s'il tente le sort, s'il fait des choses braves, dangereuses, Papa, c'est pour moi. Pour moi. Parce qu'il sait. Et que le jour où tout changera, où les Allemands seront chassés, il y aura toujours quelqu'un (et pourquoi pas Eva Cracra ?) pour faire naître des soupçons à mon sujet, trouver des preuves, en fabriquer. Et que m'arriverait-il si Papa n'était pas inattaquable ? Je lui fais confiance. Il se mettra entre moi et mes accusateurs exactement comme il s'est mis autrefois entre Feuzojou et une petite fille de sept ans qui s'était signée devant un cochon mort, cloué à une planche. Mais s'il n'est plus là pour me défendre... oh, je ne veux pas penser à ça, j'interdirai à sœur Marie-Emilienne de m'alarmer, je relèverai la tête, je dirai Papa ne risque rien, vous entendez, ma sœur ? Il ne risque absolument rien, ma mère veille sur lui. Et je me lèverai, je courrai dans le pré jusqu'aux chevaux, je taquinerai le poulain, je chatouillerai son nez, sa croupe, Querelle cessera de brouter. Son œil baigné de passion, elle assistera à nos jeux, à la fureur cocasse de son petit. Dérapages et cabrioles. Il est drôle avec ses jambes qui n'en finissent plus, sa tête de sauterelle, ses gros genoux. Dans moins d'un an, il sera aussi beau que sa mère, bai comme elle, à peine un ton plus clair et liste en tête. C'est Papa qui a décidé de son existence, je lui avais raconté le stratagème du cavalier pour nous garder Querelle, il avait bondi. Il faut qu'elle soit pleine pour de vrai. Il l'avait fait saillir par un étalon, du côté d'Ougosse, une adresse de monsieur Boisson. Querelle besognée, ce n'était pas un spectacle pour moi, j'avais refusé d'assister au mariage, je savais seulement que le mari était anglo-arabe et alezan brulé. Papa était parti sur la jument, de nuit, à travers la forêt, revenu de même, quatre jours plus tard. Ma Nina, nous aurons un cheval de roi. Le poulain de Querelle. Jusqu'à sa naissance, il avait accaparé mes songes : dans chacun, ma mère me l'offrait, elle marchait vers moi, le tenant à bout de bras, il était flasque comme un nourrisson, j'avais peur de le laisser choir, je le berçais, il se mettait à grandir, s'échappait de mes bras, bondissait, des bonds sinueux, ralentis. Tantôt il ressemblait à Querelle, tantôt à Ouragan, tantôt à Falaise, la jument-colosse que montait ma mère dans ses photographies. Réveillée, je faisais des projets mirifiques, je disais à Papa ce sera un champion, tu verras. Après la guerre, lui et moi, nous gagnerons des tas et des tas de concours hippiques. J'oubliais que mon corps était abandonné, sans amour. Seul, comptait le corps de ma jument, l'alourdissement progressif de son ventre. Pendant les mois d'hiver qui suivirent la saillie, je la promenais en longe et même sans aucune attache, un pas vif, soutenu, sur les pistes, en forêt. Le printemps venu, je la conduisais au pré et je restais des heures à la contempler, à imaginer... De temps en temps, une angoisse creusait en moi son chemin sinistre. Et si Querelle mourait ? Une jument, ce n'est pas une chienne, c'est une femme et même mieux, ça porte onze mois son petit. Si le poulain s'engageait mal au moment de la naissance ? Ça arrive, c'est arrivé, Papa me l'avait dit, je savais que je ne pouvais pas compter sur Fandeou, le vétérinaire. Sœur Marie-Emilienne avait assisté des vaches dans leurs délivrances, jamais de jument. Papa n'avait que de très vieux souvenirs. En cas de complication, il nous faudrait improviser, je tremblais, je faisais des cauchemars, et surtout celui-ci : le ventre de Querelle ressemblait à un fruit pourrissant. A l'intérieur, le poulain n'était plus qu'une sorte de noyau, dur, inanimé, sans visage. Sans visage comme... comme l'autre, l'homme aux *aougues*. La naissance était prévue pour la fin avril. Dès le début du mois, j'élus domicile dans l'écurie, je m'installai un lit dans l'auge d'Ouragan. Pour matelas, de la paille, il me semblait qu'ainsi je tenais mieux compagnie à Querelle. Papa rallongea le fil électrique qui pendait du plafond, fixa une veilleuse (nantie d'une ampoule de défense passive) au-dessus de mon auge-couchette. Pendant trois semaines, je campai là, dormant peu, veillant beaucoup, écoutant à m'en rendre folle. Une pénombre mauve enveloppait le décor, les grilles des boxes, les toiles d'araignées sur les murs. Je veillais, je pensais à Jean, je n'avais aucune nouvelle de lui (Papa m'avait seulement annoncé qu'il n'était pas parti pour l'Angleterre, il se cachait, mais pas à Rauze, on ne savait où), je pensais aussi à lui, là-bas, sur le front russe, je le voyais dans la neige jusqu'aux genoux, il avait son visage de douleur, celui de notre dernier matin, et je me demandais s'il n'était pas déjà enseveli sous la neige. Mais vite, je glissais, je refusais de m'attendrir. Avant tout, il y avait Querelle et le petit cheval enroulé dans son ventre, il me fallait sauver leurs vies. Papa nous rejoignait, Querelle et moi, dans l'écurie, au retour de ses expéditions-mystères. Il me prenait dans ses bras, tapotait le chanfrein de la jument.

— Ne vous en faites pas, toutes les deux, tout ira bien, très bien, je vous le promets.

Le 2 mai, j'ai eu vingt ans ; le soir, Querelle ressentait les premières douleurs, j'ai interrogé ses yeux. Dans les flaques violettes, j'ai vu traîner une lueur sauvage, mélange de terreur et de résignation. De joie aussi. Oh, presque-noire, tu vas me faire ça ? pour mon anniversaire ce cadeau ? La journée avait été lourde, sans un souffle d'air, Feuzojou s'était lamentée : il n'y a plus de saison. Des lointains de Saint-Salien, on avait vu monter une armée de nuages en forme de choux-fleurs, mais l'orage hésitait, tournait, il ne s'est mis à crépiter qu'à la tombée de la nuit. Querelle se levait, se couchait, son souffle comme une machine qui s'affole (depuis plusieurs jours, le lait suintait de ses mamelles, engluait le poil de ses postérieurs).

Vers neuf heures, j'ai envoyé Papa chercher sœur Marie-Emilienne. C'est pour maintenant, j'en suis sûre, va vite et revenez vite, vite. J'avais fait bouillir une pleine bassine d'eau, assemblé au hasard des ciseaux, un couteau, une sangle (si besoin en était, l'un ou l'autre de ces objets me servirait de forceps.) Par la porte entrebâillée de l'écurie, je voyais des éclairs. Sur un coup de tonnerre, la pluie s'est mise à tomber, de grosses gouttes qui mitraillaient le toit. Querelle s'est recouchée pour la quinzième fois, elle suait, ses membres étaient raides, quatre bâtons, j'ai vu la tempête dans son ventre, des vagues, je me suis agenouillée devant elle. Prends ma force, presque-noire, prends. Papa et la sœur sont revenus sous un grand parapluie, dehors c'était le déluge. Voici la sage-femme, a dit sœur Marie-Emilienne d'un ton léger, et Papa a dit voici le docteur. Il a retroussé ses manches de chemise. Tout se passera très bien, je te le promets. Il a palpé le flanc de la jument et il a soulevé sa queue pour voir où en était la dilatation de la vulve. Querelle n'a pas grondé, elle s'est étirée exactement comme une femme qui souffre, elle a un peu grincé des dents, et Papa a reçu une douche. Elle perdait les eaux.

— Elle en a pour une heure maintenant, a dit sœur Marie-Emiliene. C'est ce que je comptais avec mes vaches.

Papa de nouveau a soulevé la queue de la jument.

— Moins que ça. Nina, viens voir.

J'ai vu. Au cœur de la croupe noire, une rosace blanche, c'étaient les pieds de devant. Un cheval, je le savais, vient au monde les antérieurs d'abord : la naissance, c'est le premier saut. Dans une contraction violente, Querelle a chassé autre chose de son ventre, une forme oblongue, le début de la tête. Au même moment, un serpent lumineux courait sur le fil électrique, la foudre tombait dans les parages, le ciel éclatait, qu'est-ce que ça voulait dire ? Je m'attendais à entendre la voix de ma mère, j'avais l'impression qu'une présence envahissait l'écurie, et c'était brutal, étincelant, l'envers de la mort, son échec. La mort de la mort, la vie. LA VIE. Je ne touchais plus terre, Papa m'a appelée :

— Nina, viens m'aider. Ma sœur, cachez-lui la tête, il ne faut pas qu'elle regarde, ça l'affolerait. Et comptez le temps des contractions, je vous prie.

Sœur Marie-Emilienne s'est accroupie. La tête de Querelle a disparu sous ses jupes. Une voix de vêpres est montée dans l'écurie, récitant un deux trois, parfois jusqu'à douze. Et moi, je me suis retrouvée à côté de Papa, hâlant un corps qui ne ressemblait pas à un corps, plutôt à une chrysalide géante ou, mieux, à une branche emmaillotée de mousseline. Papa parlait. Attention, la tête est passée, nous arrivons à l'encolure, doucement. Trois quatre cinq, psalmodiait sœur Marie-Emilienne. En avant, disait Papa, nous sommes au milieu, attention aux poumons, il ne faut pas qu'il s'étouffe. Cinq, six, sept, récitait la voix d'ange qui ajoutait : courage, créature de Dieu, courage, c'est bientôt fini. Je hâlais, je tirais, docile, transportée. La mousseline sur la branche était visqueuse ; par deux fois je lâchai prise. L'arrière, disait Papa, les postérieurs, c'est bientôt fini, attention au cordon. Huit neuf dix. Je tirais. Vite un couteau, a dit Papa. J'ai bondi et, dans mon égarement, je lui ai tendu tous les instruments préparés : la sangle, les ciseaux, le couteau. Il a sorti une bobine de sa poche, de la ficelle, je crois, ou du coton mercerisé, il a fait un nœud autour du ruban blanchâtre qui reliait la chose qui venait de naître au ventre de Querelle, puis il a coupé le lien. Nous allions *le* découvrir, palpable, palpitant, il suffisait de déchirer l'envelope, de la déplier. Nous l'avons fait ensemble, mon père et moi, avec des gestes soigneux. Alors, je l'ai vu, j'ai crié : *il* lui ressemble. L'orage grondait toujours mais sans éclat, un long roulement de tambour. Je l'ai vu, lui, le poulain qu'elle m'offrait le jour de mes vingt ans. Onze mois nourri de sa chair, façonné par elle, patiemment, dans la caverne sombre et soyeuse de ses entrailles. Il est resté couché quelques secondes comme un jouet, un cheval de bois, étourdi de son existence. Papa lui a donné des claques, il a commencé de remuer ses longues jambes au bout desquelles il y avait ses sabots comme des morceaux de savon. J'ai ramassé l'enveloppe (ce n'était plus qu'une membrane morte) et je l'ai enfouie sous la paille.

— La mère peut-elle regarder son enfant ? a demandé sœur Marie-Emilienne.

— Non, a dit Papa, elle n'a pas fini d'expulser le placenta. Comptez jusqu'à cent, ma sœur.

— C'est qu'elle est impatiente, elle remue la tête.

— Comptez, ma sœur, je vous en prie.

Dans un dernier effort, Querelle a rejeté l'espèce de cœur où le poulain, onze mois durant, avait grandi. Lui, pendant ce temps, il s'est redressé. Posé comme un petit sphinx, les antérieurs croisés, il ouvrait sur le monde, nous, l'écurie, des yeux si ardents qu'ils en paraissaient furieux. Nous avons ri, Papa et moi, moi surtout.

— Quatre-vingt-dix-neuf, cent. Devons-nous encore attendre ? a demandé sœur Marie-Emilienne.

— Non, ma sœur, tout va bien maintenant, vous êtes libre.

La sœur a écarté les bras. La tête de Querelle a émergé des jupes grises. Elles se sont relevées en même temps. La jument a frémi, lancé un hennissement sourd, rejoint son poulain (dans ses yeux, cette fois, j'ai lu l'extase), elle a commencé de le lécher. Sur la robe d'un marron doux mais fripé comme de la panne, elle a promené sa langue, et lui, à chaque coup de langue, il vacillait. Dehors, l'orage s'éloignait, la pluie avait un bruit rassurant. Nous regardions Querelle, tendre et méthodique, lécher son poulain. Et puis, soudain, elle l'a quitté pour exécuter un tour de piste fringant, sur tout le corridor de l'écurie, au petit trot. La danse de ses relevailles. Encouragé, le poulain a levé le derrière, décroisé ses antérieurs, essayé à trois reprises de se mettre debout, il titubait, retombait, recommençait, et, sous la liste identique à celle de sa mère, en forme de perle-noire, son œil tout neuf brillait de colère et d'application. A la quatrième tentative, il a réussi, il est resté debout. Encore instable, il a fait quelques pas, et Querelle a interrompu sa danse. Elle s'est approchée de lui, l'a léché, léché, léché.

— Quelle ménagère, a dit sœur Marie-Emilienne.

— Quelle mère, a dit Papa.

— Papa, ai-je dit, comment allons-nous l'appeler ?

— Cadeau, a-t-il répondu. Puisqu'il est né le jour de ton anniversaire.

— Cadeau de Dieu, a dit la sœur, appelle-le Dieudonné.

— Dieudonné, ça me plaît, ai-je dit, c'est un beau nom de champion.

Ils m'attendent, Dieudonné et Querelle. C'est l'heure, je dois descendre les étriller, curer les sabots, démêler les crins, je dois... oh, à quoi bon me jouer la comédie ? chasser à toute force la pensée qui me hante ? Je dois quoi ? Je veux, c'est tout. Je veux le revoir. Il est là-bas avec les chevaux, il est revenu cette nuit vers une heure, plus tard peut-être. J'étais couchée dans ma chambre, des idées noires plein la tête, je voyais Papa du sang sur la figure, ses lunettes écrasées, il ne bougeait pas, je suffoquais, j'appelais ma mère au secours. Veille sur lui, ne l'abandonne pas. Les images se sont effacées, mais le sommeil n'est pas venu, je me suis rhabillée, j'ai décidé de passer la nuit près d'eux, Querelle et son poulain. En face de leur box, il y a toujours l'auge d'Ouragan, bourrée de paille. Là, au moins, je pouvais me reposer, attendre sans terreur que le matin se lève. Je n'oublierai jamais les odeurs, quand j'ai traversé le jardin, ni le ciel comme un autre jardin, des étoiles à foison. Dans l'ombre, j'ai cueilli une fleur de pétunia, ça sentait le pain d'avant-guerre, j'ai marché jusqu'à l'écurie, la tête renversée, regardant les étoiles. Tout de suite, j'ai compris qu'il se passait quelque chose, les chevaux remuaient, pourquoi ne dormaient-ils pas ? Aplatie contre le mur, j'ai regardé autour de moi, plus loin, sur l'airial, j'ai tendu l'oreille. Rien de suspect, j'ai entrouvert la porte (à peine, juste assez pour me glisser de profil), je l'ai refermée avec autant de précaution, les gonds n'ont pas grincé, j'ai allumé la veilleuse, tiré la targette du box, j'étais inquiète. Querelle a tourné la tête vers moi, pas du tout nerveuse, au contraire, paisible comme dès qu'elle sent une présence amie. Derrière elle, le poulain jouait, balançait l'encolure, grattait la paille, pliait l'antérieur droit, il avait l'air de dire bonjour, mon sang a couru follement, s'est figé. Dans un angle du box, assis, tassé, il y avait le cavalier. J'ai d'abord vu sa main, puis ses yeux de cristal.

— Nina.

Jamais je n'avais imaginé ça, que je le reverrais. Surtout ainsi, sans uniforme ni casquette, habillé comme n'importe qui, un pantalon, une chemise ouverte. Encore amaigri, des ombres sales sur les joues et une moustache. Pas méconnaissable, mais différent.

— Nina.

Sans prendre conscience de ce que je faisais, je suis tombée à genoux sur la paille, près de lui. J'ai bredouillé vous alors vous alors, et nous sommes restés face à face, minables, stupides, un homme et une femme que tout séparait. Le poulain avait cessé de jouer, Querelle était une statue. Le cavalier s'est redressé. A genoux comme moi, il a tendu les bras. Je n'ai pas bougé, je pensais seulement pourquoi existe-t-il encore ? Il s'est tourné vers le poulain qui recommençait de gratter le sol, timidement, dans son coin.

— Comment s'appelle-t-il ?

— Dieudonné, ça veut dire Cadeau de Dieu.

Il a répété Cadeau de Dieu plusieurs fois, et le poulain est venu à lui. Béat, poussant la tête, il s'est laissé caresser, alors j'ai dit pourquoi êtes-vous revenu ?

— Pour vous, Nina.

Il s'est tassé de nouveau dans l'angle du box, il a parlé, raconté. Sa vie depuis qu'il avait quitté Nara, le 8 avril 1943. Les chevaux se sont couchés à côté de nous, le poulain en croissant sur le flanc de sa mère mais la tête levée comme tous les bébés du monde — qui font de leur sommeil une interrogation. Il a raconté. Il s'était battu en Russie, il avait été blessé, il ne disait ni où ni comment, il n'accordait aucune importance à cette blessure. Ce qui importait, c'était après, le camp de prisonniers russes auquel on l'avait affecté. Il parlait lentement mais sans changer de ton, sans ménager de blanc, de soupir entre chaque étape de son récit. Ce camp, il fallait que je sache comment on y vivait, ou plutôt comment on y détruisait la vie. C'est pour ça qu'il était revenu : je devais apprendre la vérité. Il n'avait jamais oublié l'Algérien poursuivi par des soldats allemands dans les bois de Nara, ni sa mort. Ni ma colère ni mes reproches. Il m'aimait, il disait je vous aime, Nina, je n'aime que vous, d'une voix sourde, humblement, les yeux fixés sur le mur, comme si je m'y trouvais suspendue entre les toiles d'araignées et les lézardes. Je vous aime, il faut que vous sachiez la vérité. Et je me disais qu'il avait dû souvent me parler ainsi et m'imaginer suspendue sur un mur depuis qu'il avait quitté Nara, seize mois plus tôt. J'écoutais. J'accueillais l'horreur dont il était le messager. Il a fait défiler devant moi des hommes-loups, des hommes-chiens, des hommes-hyènes. Il m'a raconté la mort instillée goutte à goutte, les cadavres debout et les familles joviales qui venaient le dimanche jeter des croutons de pain ou des trognons de légumes dans la fosse aux prisonniers, il m'a raconté la bataille des squelettes sous les rires des enfants allemands. Et les rires de leurs parents. Il était resté six mois dans ce camp, la nuit il rêvait de moi et me demandait pardon. Je lui avais apporté le bonheur, il me demandait pardon pour tout le malheur. J'ai murmuré ce n'est pas votre faute quand même mais au fond de moi je savais qu'il avait raison : la fatalité l'enchaînait aux criminels. Pour moi le spectacle des prisonniers grouillant dans leur fosse se prolongeait, ils ressemblaient tous à Papa. Je pensais à Lallie aussi, et à son mari, Daniel. On les avait arrêtés comme juifs, c'est Eva qui nous l'avait annoncé, ça remontait à plus d'un an, et je me souvenais de la réflexion de Cracra :

— Elle ne l'a pas volé, cette putain.

Plus tard, par madame Fadillon, l'ex-patronne de Lallie, j'avais eu des détails sur l'arrestation : quand Daniel avait dû porter l'étoile juive, Lallie en avait cousé une autre à son manteau avec dessus, brodé par elle, le mot amour. On avait eu beau lui expliquer qu'elle était folle, qu'elle bravait le sort, elle avait tenu bon et, lorsqu'elle s'était trouvée enceinte, elle avait remplacé le mot amour par le chiffre de ses mois de grossesse. C'est au numéro sept, au septième mois qu'on l'avait arrêtée avec son mari. Lallie. Je l'imaginais, plaisantant entre deux soldats que sa robuste beauté, sa hardiesse désarmaient (de toute façon, ils n'étaient pas plus méchants que monsieur Otto ou que monsieur Kurt). Bien sûr elle était prisonnière derrière des barbelés mais ça se passait comme à Rocas. Si on ne cherchait pas à s'enfuir, on vous laissait tranquille, et comment Lallie aurait-elle cherché à s'enfuir avec son ventre ? J'étais optimiste. Son camp, je le voyais comme un campement de bohémiens, cerné d'arbres (peut-être même de pins). Daniel était auprès d'elle, ils parlaient de leur futur enfant, lui cherchaient un prénom (j'en avais trouvé deux dans mon histoire sainte : Nephtali, pour un garçon ; Rebecca, pour une fille). Elle chantait, Lallie, et sa voix ravissait les autres prisonniers et les gardiens. Le temps passait, passerait, nous la reverrions à Lérézos, à Nara, et Nephtali (ou Rebecca) aurait sa gaieté, ses cheveux de soleil. Mais soudain, à cause du cavalier, tout changeait : une autre Lallie entrait en scène, décharnée, la peau comme une écorce, le dos courbé. Elle et Daniel n'étaient plus que des demi-morts se battant sous les rires pour un croûton de pain. J'ai dit et les Juifs ? Les Juifs aussi on les a traités comme ça ? Il a couvert son visage de ses mains.

— Oh, Nina, si vous saviez... Les Juifs, les Juifs, ne me demandez pas, je ne peux plus.

Il a de nouveau tendu les bras vers moi. Alors, sous l'horreur, comme la déchirant, j'ai vu surgir le souvenir du jour où, pour venger l'Algérien de Rocas, j'avais voulu le tuer. La folle galopade. La lande pareille à un champ de bataille, les souches couleur de sang et la muraille de bois contre laquelle je rêvais qu'il s'écrasât. Et puis la suite, toute la suite : la volte de Querelle, le lent voyage des chevaux, la forêt qui se refermait sur nous, l'apaisement suspect. Et la mer. Et l'amour. Les bras tendus vers moi me demandaient pardon. Seulement pardon ? Non, oh, non. Je devais me rendre à l'évidence que mon corps avait accepté le jour où le cavalier était devenu mon amant. L'amour et la mort pour moi auraient toujours partie liée. Dans son sommeil, le poulain a frémi, agité ses jambes grêles. Autour de lui, Querelle a resserré le berceau de son flanc et de ses membres allongés. La mort et l'amour. Mais aussi la peur et la tendresse. Ses bras. J'ai tendu les miens et nous sommes restés l'un contre l'autre, si fort embrassés que je sentais son cœur taper dans ma poitrine. Il répétait je vous aime je vous aime je vous aime. Nous étions comme les noyés de ces bateaux sous la Révolution, comme ces condamnés que l'on jetait dans la Loire, nus et attachés deux par deux, nous étions deux corps unis et même confondus par le destin. Nous n'avons pas fait l'amour, nous n'avons pas dormi non plus, nous avons écouté le sommeil des chevaux et les frôlements de la nuit. Pour écarter le cortège, les hyènes, les chiens, j'ai raconté les couches de Querelle, l'orage et l'arrivée de la vie dans les éclairs. J'ai dit et la nuit où Querelle a failli mourir ? Vous vous en souvenez ? Sans vous, peut-être qu'elle serait morte.

— Je vous aimais cette nuit-là, Nina. Je vous...

Je l'ai interrompu.

— Vous ne m'avez pas dit comment vous avez pu... Votre camp. Quand êtes-vous parti ?

— Vous voulez savoir, vraiment ?

— Oui

— Pourquoi ?

— Pour savoir, c'est tout.

Sa fuite jusqu'à moi. Je voulais connaître le rôle joué par le hasard, les forces obscures qui avaient travaillé à nous réunir. A quel moment le déclic ? En mai, un soir, il avait parlé, il n'en pouvait plus : un prisonnier s'était couché devant lui dans la boue du camp (dix mois sur douze il y avait de la boue dans ce camp) et il était mort sans le quitter des yeux. Ces yeux le poursuivaient, bruns comme les miens dans un visage bariolé d'ecchymoses. Il avait décrit la scène à un officier qui n'avait pas bronché. Alors, il avait dit je regrette de n'être pas mort avec cet homme, dans la boue. Quelques jours plus tard, l'officier l'emmenait à Paris où il avait un rapport à remettre aux autorités. C'était au début du mois de juillet. Pendant le voyage, ils avaient découvert qu'ils partageaient les mêmes sentiments : honte et dégoût, et ils avaient tiré au sort pour savoir lequel des deux déserterait. Il avait gagné et il n'avait plus pensé qu'à moi. Me revoir. Le lendemain de son arrivée à Paris, il avait jeté son uniforme dans la Seine. L'officier devait attendre deux jours avant de signaler sa disparition. Quand on avait entrepris les recherches, il était déjà loin, il avait pris un train, le premier dans une gare. Laquelle ? il ne se rappelait plus. Le train avait été bombardé plusieurs fois. Il avait eu des ennuis avec un policier de la Gestapo (il se faisait passer lui-même pour un policier). Depuis quinze jours, il marchait, surtout la nuit. Et c'était beau, la nuit en France. La nuit vers moi. Il n'était pas du tout inquiet, il était sûr qu'on avait renoncé depuis longtemps à le poursuivre. De toutes façons, l'Allemagne était vaincue, les armées remontaient vers le Nord, (dans un désordre significatif) il était surpris qu'il y eût encore des soldats allemands à Nara. Il parlait d'une voix plate, détachée, comme si tous ces détails ne le concernaient pas. Sauf un : moi. Et je pensais pourquoi moi ? C'est idiot, c'est absurde. Mais je ne disais rien, mon corps contre le sien, ce n'était pas absurde et même c'était juste, exactement ça, juste et apaisant comme la vérité.

— Et la forêt ? j'ai demandé, vous êtes resté longtemps dans la forêt ?

— Trois jours. Tous les jours je croyais vous rencontrer.

Je dois descendre, il faut que je lui trouve une cachette, une vraie. L'écurie, ça n'est pas suffisant. Papa y vient trop souvent, il le reconnaîtrait. Et si quelqu'un l'a vu dans la forêt ? On peut confondre un résinier avec le pin qu'il résine, mais, couleur de bois, immobile, le résinier aperçoit tout, sait tout. Et je ne parle pas de Cracra, de son flair, des filets qu'elle me tend. Cracra, espionne, qui tambourinait obstinément à ma porte, la nuit, il y a deux ans, et moi, j'étais dans la chambre voisine avec lui, dans son lit. Je rentrais chez moi par la fenêtre, en m'accrochant à l'espagnolette de ses volets, puis à celle des miens. Je marchais à pas de loup jusqu'à la porte, je l'ouvrais violemment et je tombais de toutes mes forces, de tout mon poids, sur l'ombre en robe de chambre qui me persécutait. Nous roulions par terre, elle se faisait très mal (une fois même, après une chute, elle dut garder le lit), mais elle recommençait, elle s'acharnait. Et si, par malheur, j'oubliais de fermer ma porte à clef, je trouvais, entre les draps, un drapeau miniature décoré d'une croix gammée. Evidemment, je me vengeais, elle a reçu des brassées d'orties et d'épines avec des déclarations en allemand de fortune signées ton Adolf qui t'adore. Semaine après semaine, le courrier lui apportait des lettres la priant de se rendre à la Kommandantur. On avait des propositions à lui faire. Accepterait-elle de diriger un réseau d'espionnage ? Elle fulminait. A table, elle croquait son pain grillé, du meurtre dans les yeux. Elle me demandait c'est toujours le grand amour avec ton Allemand ? Je répondais par une insolence, c'était la vie, le train-train quotidien de la promiscuité et de la haine, je m'en fichais pas mal, mais aujourd'hui, c'est différent, je ne veux pas que, par la faute de Cracra, il puisse lui arriver du mal. Je sors de ma chambre, je prends le corridor, que se passe-t-il ? La maison, si calme il y a quelques instants, est une termitière. Dans l'escalier, je croise des soldats qui, pourtant, ne logent pas ici. Dans la cuisine, il y en a d'autres, tout un groupe, et cet avorton d'In Extremis leur donne des ordres. La fin de la guerre, c'est pour aujourd'hui ? Par où vont-ils arriver, nos libérateurs (comme dit Cracra, bombant le torse) ? Par Bordeaux ou par la mer ? Avant-hier, Feuzojou affirmait qu'on avait vu des navires américains au large de Saint-Salien. Les matelots sont peut-être déjà sur la plage. Des blockhaus plantés dans la dune, ce soir ou demain, jaillira un gigantesque feu d'artifice. Cracra n'a pas tellement envie des Américains, elle veut des Anglais et qu'ils passent par Bordeaux, naturellement. Et que Jean soit parmi eux, encore plus naturellement. Elle n'est pas encore réveillée, l'anglomane. Feuzojou non plus. Je cherche Mélanie, elle n'est ni dans la souillarde ni dans la buanderie ni dans le reste de la maison. Je finis par la trouver dans un des poulaillers, aussi prostrée que les poules, les yeux rouges. Qu'est-ce que tu as, Mélanie ?

— Ils s'en vont, les pauvres...

— Qui te l'a dit ?

— Monsieur Kurt, il est tout changé, triste. Lui qui était si gentil avec tout le monde, avec les animaux, le poulain...

— Où est-il ?

— Dans le village. Il réquisitionne les vélos, les charrettes, tout ce qui roule. Et même...

Elle pleure. Je l'abandonne à ses larmes. Tout ce qui roule. Et ce qui trotte ? ce qui galope ? Je me rue dans l'écurie. Querelle a commencé la toilette du poulain, elle le lèche, le cavalier les regarde, ils sont tranquilles, tous les trois.

— Ecoutez, ça se précipite, la fin de la guerre. Ils s'en vont, les autres, vos... les Allemands, ils quittent la maison, le village.

— Bon voyage.

— Ne riez pas. Ils prennent tout. Les bicyclettes, tout. Ils vont prendre Querelle. Vous allez vous cacher avec elle, avec eux.

— Et vous ?

— Je vous retrouverai. Partez.

Je lui donne une vieille veste de Papa, un chapeau accroché parmi les cuirs depuis je ne sais combien de temps, il n'a plus ni forme ni couleur. Si j'osais, j'irais dans la maison voler une paire de leggings, des lunettes. J'entrouvre la porte de l'écurie. Dehors, c'est toujours le silence. In Extremis n'a sans doute pas fini de donner ses ordres, et monsieur Kurt est encore dans le village, il fait la chasse aux vélos. En profiter. Suivez-moi. J'ouvre franchement la porte. Passez le premier, prenez Querelle. La veste de Papa se faufile, et le chapeau. Qu'il est pâle. Et cette moustache. Je tiens le poulain en longe, ferme la porte. Un dernier coup d'œil sur la maison : elle semble toujours dormir, les volets sont clos, il n'est sûrement pas plus de sept heures au soleil. Fuir l'écurie au pas, calme, calme, comme si on partait pour le pré. Que les chevaux, ces médiums, ne pressentent rien. Ne pas leur parler, les flatter, tenir le poulain comme un enfant, par le cou. Heureusement que la jument est déferrée, les cailloux de l'airial trahiraient sa présence. Gagner l'herbe jaunie sous les chênes, prendre le premier sentier vers les pins. Pas une âme pour troubler notre fuite, pas un roquet. Au trot. Voici la Vallée du Fou, le ruisseau, les pins, je dois revenir à la maison. Si on me cherche, on cherchera les chevaux et...

— Voilà. Adieu. Vous vous souvenez de Marotte ? de Mourlosse ? de Pignon Blanc ? Cachez-vous par-là, dans un parc à moutons, une bergerie, je vous retrouverai.

— Nina...

— Ne marchez pas trop sur la piste de sable, plutôt sur la piste cyclable, elle est couverte d'aiguilles de pins.

Je glisse dans sa main la longe du poulain. Volte face. Je ne me retournerai pas sur la veste de Papa, ni sur les chevaux bai. L'heure n'est pas aux vertiges. Pas d'attendrissement facile. Je reviens au village par le pré, derrière la maison des sœurs. Dans le lointain, j'entends une houle. Pour la première fois de l'été, sœur Marie-Emilienne manque à notre rendez-vous du matin : personne devant la barrière du pré. Personne dans le potager, à l'ouvroir, au parloir, aux cuisines. Ils n'ont quand même pas pris des religieuses pour otages ? Otage : le mot me transperce. Papa. Son visage ensanglanté. Le cavalier, les chevaux, des otages eux aussi ? Je n'ai pas vingt ans, j'en ai cent. J'arrive sur la place du village, c'est la foire. Des voitures à gazogène sont alignées devant l'église (certaines n'ont plus de vitres : on les a remplacées par des planches). Il y a aussi les deux camions de la scierie Berdouillet ; la carriole du boucher avec son vieux cheval, Picador, au trot d'arthritique ; deux charriots (ici, on dit des *bros*) volés dans une métairie, attelés à des mules, surchargés de bagages, de caisses, de paquets. Et le tricycle de l'homme-tronc, Lassus, qu'on actionne, comme une pompe, d'un levier à poignée de cuivre. Il y a enfin le corbillard de Nara amputé de ses quatre plumets, c'est l'âne du laitier qui le tirera ; on l'a bourré de provisions, de sacs de maïs, de miches de pain jaune, j'y vois même un jambon. Sous le préau de la mairie, suffisamment goguenard, le béret de travers, j'aperçois le maire, monsieur Darmaillacq. Un peu plus loin, assis à une petite table, monsieur Kurt coche des noms sur une liste. Les habitants de Nara défilent devant lui, très dignes, poussant leurs vélos. Il me voit, cligne de l'œil, remue sa main aux quatre doigts en signe de dénégation. Il murmure *Nix pferdé.* Il répète *nix nix.* Moi jurer à mademoiselle Mélanie, *cheuneu* Mélanie *: Nix pferdé.* C'est à Mélanie que je dois cette faveur ? Mes chevaux sont sauvés, c'est tout ce que je demande, je dis merci et je vais retrouver les sœurs. Toute la communauté est sur la place. Sœur Marie-Emilienne converse avec une vieille paysanne qu'indigne la réquisition du corbillard :

— Quand même, ma sœur. Moi qui ai mis tous mes sous de côté pour me payer un bel enterrement... Dans quoi on me portera jusqu'au cimetière ? Dans une brouette ?

— Calmez-vous, Victorine. La Vierge viendra vous chercher elle-même, dit la sœur.

La vieille cesse de gémir, un sourire met à

nu ses gencives mauves, sœur Marie-Emilienne passe une main compatissante sur son dos. Puis se retourne. Tout le monde se retourne. La voiture d'In Extremis vient se ranger devant la mairie. Une camionnette suit. Des soldats ouvrent la porte arrière à deux battants, grimpent et déchargent un piano à queue recouvert d'une housse. Dans son charabia, In Extremis explique au maire que c'est le piano du camp de Rocas ; son prédécesseur l'avait réquisitionné à Bayonne ; les officiers allemands sont des gentlemen : In Extremis souhaite que le piano soit rendu à son propriétaire à Bayonne.

— Bien, dit le maire, je m'en occuperai.

Il ne remercie pas, il ne demande pas si les gazogènes, les mules et les vélos seront également restitués. Ni comment Nara retrouvera son corbillard et l'homme-tronc son tricycle. Il a l'air ironique et bonasse. Cause toujours, semble-t-il répondre au rachitique In Extremis, si vous n'étiez pas complètement vaincus, ratatinés, tu te ficherais bien de ce piano... Moi, je pense à Mains de Cire jouant du Mozart, du Chopin et du Strauss pour les prisonniers de Rocas. Il avait sûrement du cœur, Mains de Cire. L'écoutant, mon filleul de guerre, Akibou, natif de la Côte-d'Ivoire, rêvait peut-être de tam-tam. Et l'Algérien qu'on a tué dans les pins, *mon* Algérien, croyait entendre le vent dans les palmes.

— Ils quittent le camp ? chuchote une voix inquiète.

— Le camp comme le reste, pardi, répond une voix enjouée.

— Mais alors, qui va garder les Nègres ?

— Les Nègres, tiens, c'est vrai ça, qui va garder les Nègres ?

In Extremis est remonté dans sa voiture, il prend la tête du convoi qui se dirige vers la route nationale. Derrière lui, la camionnette qui a transporté le piano, les camions de la scierie, les gazogènes. Ensuite, conduit par monsieur Kurt, le bataillon des vélos. Enfin, fermant la marche, les *bros* à mules, la carriole du boucher et l'âne attelé au corbillard. Le véhicule de l'homme-tronc reste abandonné au milieu de la place : personne, parmi ces vaincus, n'a voulu avoir l'air d'un infirme. Dans un silence sans hargne, Nara assiste à la retraite de ses occupants.

— Et les Nègres? recommence la voix inquiète (celle de madame Dourthe, la plus solide bigote du village : elle pèse cent kilos).

Un attroupement se forme dans le préau. Je distingue le béret chaviré du maire et la chevelure aubergine de tante Eva.

— Ils sont deux mille, au moins, dit madame Dourthe.

— Trois mille Nègres, renchérit Cracra.

Qu'est-ce que vous allez en faire, monsieur le maire ?

Monsieur Darmaillacq soulève son béret et se gratte la tête.

— Qu'est-ce que je vais en faire ? Qu'est-ce que je vais en faire ? Vous n'avez pas une idée, vous, madame Branelongue ?

— En tout cas, ne les libérez pas, dit Cracra, catégorique.

— Sans gardiens, madame Branelongue, ils se libéreront d'eux-mêmes...

— Jésus, quelle horreur, dit madame Dourthe. Nos jeunes filles. On va en voir du propre... Ces sauvages avec leurs instincts d'animaux.

— Après les Huns, les cannibales, fait Cracra. Nous sommes gâtés.

Monsieur Darmaillacq cesse de se gratter la tête :

— Je vais téléphoner à mon cousin, il est employé à la Préfecture. Ils ont sûrement des réservistes là-bas, tout prêts à donner un coup de main. Si on pouvait nous envoyer d'anciens coloniaux...

— Des coloniaux, ça serait parfait, dit madame Dourthe. Ils sauront mater ces trois mille sauvages. Ils ont la façon.

— En tout cas ils les encadreront comme il faut, conclut, rayonnant, monsieur Darmaillacq.

— Faites vite, dit madame Dourthe. Par pitié... pour nos jeunes filles.

Cracra me repère. Mince glapissement :

— Nos jeunes filles sans défense...

Je lui réponds par un œil de poisson. Le boiteux du village, un séducteur, gonfle le bréchet :

— Eh bien quoi, nos jeunes filles ? Nous ne sommes pas là pour défendre leur vertu ?

Un rire fripon s'allume, puis tourne court. L'assistance n'oublie pas qu'on vient de la voler : une bicyclette, même si c'est un clou, c'est mieux que des pieds quand on travaille et qu'on est fatigué. Le boucher grogne : Picador va lui manquer. Et la carriole aussi. Comment ira-t-il chercher des brebis dans la campagne ? Il voudrait que le maire s'occupe de lui en priorité, mais le maire est parti téléphoner à son cousin, l'employé de la Préfecture. Les sœurs regagnent leur maison, tenant des enfants par la main. Bon gré, mal gré, on se disperse. Madame Dourthe s'éloigne, énorme et pressée : elle va se barricader chez elle ; beaucoup de villageoises en feront autant. Tant que les uniformes des officiers coloniaux n'auront pas remplacé les verdures allemandes, on ne sera pas rassuré. Moi, je pense aux sauvages de Rocas. Leurs démarches d'hommes en cage. Leurs visages clos. Nourris de raves, de patates gelées et de soupes claires, ces sauvages qui pourraient mettre à mal (c'est l'expression ici) nos jeunes filles... Je les ai vus dimanche dernier, la visite hebdomadaire n'avait pas été supprimée, il faisait beau, un temps pour eux, ils étaient lents, pas bavards. Akibou m'a dit, comme d'habitude, merci pour ta soupe, ça fait du bien. S'il était libre, Akibou, il se ruerait sur moi ? Il me mettrait à mal ?

Je rentre à la maison. Papa n'est toujours pas là. Je déjeune avec ma grand-mère et ma tante. Mélanie nous sert, mais c'est la dernière fois. Elle m'a glissé tout à l'heure : cette nuit je me sauve, je ne veux pas être tondue. Je l'ai consolée comme j'ai pu. Jamais Papa ne permettra qu'on te fasse du mal, Mélanie. Ni moi. C'est grâce à toi qu'on n'a pas réquisitionné mes chevaux. Elle a frémi.

— C'est monsieur Kurt qui vous l'a dit ?

— Oui, et il a dit *cheuneu Mélanie.*

— Oh, le pauvre, que je le regrette. Plus encore que monsieur Otto. Jamais je ne m'en trouverai un comme ça, bon et doux et serviable. Les hommes d'ici...

Tante Eva l'observe avec gourmandise, mais elle attend qu'elle soit retournée dans la cuisine pour se frotter les mains, évoquer les chiennes qui seront bientôt punies pour leurs chienneries. Hier, Mélanie lui a signalé : si Madame continue de me faire des misères, je rentre chez nous (elle est de Capbreton). Et Feuzojou a pris sa voix acide : Eva, bien entendu, c'est toi qui te mettras aux fourneaux quand nous n'aurons plus de domestiques. Eva qui ne sait même pas faire cuire un œuf à la coque... Elle va changer de cible :

— Dis donc, toi (ce toi m'est destiné. Elle déteste *aussi* mon prénom), tu en as de la chance que tes chevaux soient restés ici.

Je grogne n'importe quoi pour laisser tomber la réflexion. Mais Feuzojou apprécie le dérivatif :

— A quoi attribues-tu cette faveur ?

Et Cracra :

— Tu avais un bon ami parmi les derniers occupants ? Le colonel nabot peut-être ? Ou son secrétaire, l'homme à l'index coupé ?

Zéro. Je suis un mur. Alors Feuzojou, sereine :

— Tu n'as pas peur qu'on te les prenne maintenant, tes chevaux ? L'occupation a été pénible, les gens sont affamés. Le cheval, c'est une viande comme une autre. Dure, mais nourrissante.

Mon œil noir sur les replis de son corps, les débordements, tous les mentons.

— Tu es affamée ? ça ne se voit pas. En tout cas, ça te profite.

— Monstre, dit Feuzojou.

— Et putain, dit Eva. Sale petite putain. Tu verras quand Jean sera de retour.

C'est la première fois, depuis des mois et des mois, qu'elle prononce le nom de son fils. Malgré moi, je sursaute, elle s'en aperçoit, insiste :

— Quand il saura, Jean, comment tu t'es comportée avec les boches.

— Il revient, Jean ? Sans blague. Il t'a téléphoné du Gers ? Ça va ? Il est en forme ? Il a pris du bon temps ?

Eva s'étouffe. Mais c'est Feuzojou qui se charge de me remettre à ma triste place.

— Même Jean, qu'elle aimait tant, soi-disant, qu'elle poursuivait avec une indécence... Même Jean, elle lui crache au visage.

Eva retrouve ses esprits :

— Il saura que tu t'es moqué de lui, il appréciera.

Feuzojou, exquisement perfide :

— Tu n'as jamais eu de nouvelles de lui ?

Je me lève, j'en ai assez. Cracra me prend le bras, je me dégage et me dirige vers la porte. Alors, elle parle très vite.

— Il se bat, Jean. Depuis deux ans, il est dans l'armée clandestine. Tu ne sais pas ce que ça veut dire ? Le maquis, on ne t'a jamais parlé du maquis ? Même pas ton père ? Tu ne savais pas qu'il y avait des hommes, des garçons qui luttaient pour nous garder la France ?

Elle est grandiose, en amazone sur sa chaise,

la tête haute et postillonnant du pain grillé
— Hein, tu ne te doutais pas de ça ? Tu étais trop absorbée par tes boches.

J'ai envie de leur raconter le cellier de Rauze, les matelas cloués au mur, les poupées sous la grêle des balles, elles ne me croiraient pas.

— Et Vincent Bouchard ? Il se bat avec Jean ?

— Naturellement. Ça te dérange ?

— Oh non, ça m'amuse, il est tellement comique, Vincent Bouchard. Un vrai clown.

— Tu es jalouse ?

Dans un éclair glisse et passe le canapé de Rauze, les garçons vautrés l'un contre l'autre. Jalouse, moi ? Non non non : amusée. J'amorce un petit rire :

— Mais où sont-ils, ces guerriers ? Pas en Angleterre, quand même ?

— Ils sont dans le Périgord, dit Cracra sobrement.

Je reste ébahie :

— Dans le Périgord ? On fait la guerre dans le Périgord ? Comment sais-tu tout ça ? Il te prévenait, Jean ?

Elle m'écrase littéralement :

— Je suis tout ce qu'il a au monde.

— Merci quand même, fait Feuzojou, pincée.

Je ricane encore un peu :

— C'est drôle quand même qu'il ne m'ait

pas envoyé une seule carte postale. Signée Jane, comme avant. Rien que pour me dire combien c'était marrant la guerre clandestine avec Vincent Bouchard.

— Ça t'aurait gâché les plaisirs de l'occupation, dit Cracra.

Feuzojou déborde de gravité mélodramatique :

— Il savait combien pour nous, sa mère et moi, c'était douloureux, humiliant de vivre ainsi, l'ennemi dans la place. En nous donnant des nouvelles, il nous donnait l'espérance...

Sur cette envolée, je décampe. Je laisse les deux patriotes à leur méditation sur l'espérance et l'héroïsme, je vais retrouver mes trois clandestins à moi, les nourrir. A tout hasard, je prends dans la cuisine des carottes pour les chevaux, un morceau de pain et du lard pour lui. Dehors, la chaleur me saisit, une claque de feu. Pourvu qu'il ait trouvé un endroit frais, pas trop loin du ruisseau. Je suis le chemin que je lui ai indiqué ce matin. Ainsi, Jean se bat, s'est battu dans le Périgord ; dans quelques jours, il reviendra à Nara, flanqué de Vincent Bouchard. Feuzojou déterrera son argenterie, tuera le veau gras — ou la brebis, ouvrira ses dernières bouteilles, nous aurons droit à des récits palpitants auprès de quoi le sauvetage de Léo, les bagarres avec

Rico ne seront que roupie de sansonnet. Je traverse la vallée du Fou, le ruisseau bordé d'iris et de menthes sauvages : c'est là que je me baignais avec Jean. Pourquoi dois-je penser à lui ? Quand je le reverrai, il sera fanfaron, rigolard. Irrécupérable. Il renversera la tête, marmonnera des clichés : c'est bon de revenir au pays, ou : ah, quelle douceur de respirer l'air des Landes. Quel uniforme portera-t-il ? Ils ont des képis, les soldats clandestins ? Pourquoi pas des plumes de Sioux ? Et puisque Nara est vide d'Allemands, qu'y feront-ils ? Poursuivront-ils In Extremis et sa smala, les vélos, le corbillard ? ou monteront-ils libérer le Nord, les grandes villes, Paris ? A moins, bien sûr, qu'ils n'aient rendez-vous avec les marins américains, à Saint-Salien, pour faire sauter le mur de l'Atlantique. La forêt est une fournaise, j'espère que les chevaux ont pu arriver jusqu'au parc à moutons, entre Mourlosse et Pignon Blanc ; la toiture en est encore intacte, le poulain ne souffrira pas trop des mouches. Je fais confiance au cavalier, je suis certaine qu'il s'est débrouillé pour voler de la nourriture, des épis de maïs vert, du trèfle, du regain. Il a rampé près du champ sous la canicule, il s'est dissimulé dans un cagibi près de la grange, c'est un fantôme de plein jour. Comme l'Algérien, il y a deux ans. A la place de la chéchia, le chapeau délavé de Papa. Et si on les envoyait garder le camp de Rocas, Jean et Vincent Bouchard ? Pourquoi ne se déguiseraient-ils pas en officiers coloniaux ? Comment sont déguisés les officiers coloniaux ? Avec des casques blancs ? Et des uniformes blancs ? Vincent Bouchard ressemblerait à Tartarin de Tarascon, et Jean ? A qui ressemblerait-il ? A l'Aiglon ? (pourquoi pas ? s'il enlève le casque ?) Ils marcheraient de long en large devant les barbelés de Rocas, on les verrait de la route, les dames de Nara pousseraient un soupir de soulagement : ah, enfin, nous n'avons plus rien à craindre pour nos jeunes filles, les Nègres sont gardés par des officiers français, des coloniaux, ils sont magnifiques, tout en blanc. Vous ne savez pas qui est parmi eux ? Le fils Branelongue, mais oui, à son âge, un héros, il se bat depuis deux ans... Et les jeunes filles, objets de toutes ces angoisses, viendraient à leur tour admirer les nouveaux gardiens, leurs uniformes blancs. Elles auraient des fleurs plein les bras, les déposeraient devant les barbelés avec des rires confus, des rougeurs. Je ne serais pas avec elles, je ne suis plus une jeune fille, moi, je suis une putain, j'ai couché avec un boche, j'aime beaucoup ça et, lui, je crois bien que je l'aime. Si j'allais le crier sur les toits ? Oh, ça me plairait. Faire des choses comme Lallie. Folles, provocantes. Me promener dans le village, le mot amour épinglé sur la poitrine. Marcher tranquillement en lui donnant la main. Continuer jusqu'à Rocas à la rencontre des vierges et des officiers coloniaux. Crier hé, vous, espèces de dindes et vous, soldats pour rire, hé, toi, Jean, regardez, cet homme habillé comme un épouvantail, c'est mon amant, il a déserté pour moi. Alors, une des jeunes filles, la plus vertueuse, se pencherait et ramasserait une pierre. Les autres l'imiteraient. Les officiers coloniaux resteraient impassibles, si blancs dans le soleil que j'en serais aveuglée. Les pierres voleraient. Dans la canicule une pluie de volcan. Je serais lapidée. Et lui aussi. Il y aurait du sang sur la veste de Papa, le visage du cavalier ne serait plus qu'une bouillie rouge, il mourrait comme le prisonnier de son camp maudit, les yeux grands ouverts et tournés vers moi. Je verrais Jean, blond et blanc, déclarer en se frottant les mains comme sa mère : elle ne l'a pas volé, cette putain. Je repère des traces de sabots, ils ont coupé par un routin en direction de Pignon Blanc, je fais comme eux, j'ai hâte de les revoir, je vais vite, ma robe colle à ma peau. Des choses folles. Rentrer ce soir à la maison avec les chevaux. Avec lui. Annoncer que j'attends un enfant de lui. Dans mon ventre, je dirais, il y a un commencement d'Allemand. Et j'irais chercher le pistolet caché dans le matelas de mon lit, j'obligerais Cracra à être sa domestique, elle rapporterait les plats de la cuisine, les assiettes, les verres, le vin. Elle le servirait avec empressement. Je la houspillerais. Dépêche-toi, voyons, Eva Cracra, le père de mon enfant n'aime pas attendre. Elle aurait des gestes maladroits, les plats tomberaient, le vin se renverserait sur la nappe, encore une bouillie rouge. Et Feuzojou tremblerait de tous ses plis et mentons. Ses gros yeux, de temps en temps, frôleraient mon ventre ; pour les chasser, je regarderais obstinément ses boucles d'oreilles. A la fin du dîner, j'armerais le pistolet, je dirais à Eva tu as été gentille d'obéir sous la menace d'un pistolet pas armé, je vais t'offrir une récompense, je vais tirer, c'est Jean qui m'a appris, il adore ça, il trouve que le chien du pistolet ressemble à une aile, c'est un bel objet, vous voulez toucher ? J'approcherais le Luger armé de Feuzojou. Touche, c'est frais, ça te rafraîchira. Je l'approcherais de Cracra. Touche, Jean trouve que la crosse ressemble à du caramel. Je me lèverais, je tirerais. Je n'oublierais pas les leçons des garçons dans le cellier de la Viole : viser au-dessous de la cible, bien au-dessous. J'atteindrais la pendule sur la cheminée, les chandeliers de bronze et surtout Napoléon et ses généraux dans leurs cadres. Je demanderais vous n'avez pas d'autres cibles à me proposer ? Si on accrochait des matelas sur les murs du corridor ? et des poupées et des livres ? on pourrait s'amuser encore un moment. Alors, Jean et Vincent Bouchard débarqueraient dans leurs uniformes de héros clandestins, et je leur dirais ça va ? vous êtes contents de votre élève ? vous trouvez qu'elle a fait des progrès ? J'ai dépassé Mourlosse, je traverse le vallon de Pignon Blanc. A ma gauche le pan de forêt rasé il y a deux ans, on l'a semé de nouveau ; entre les souches qui se décomposent, moutonne du vert. A droite, un long tapis d'*aougues*, elles sont drues et jaunes dans le jour éclatant. Au bout d'une piste, à cent mètres, sous l'abri de grands pins quinquagénaires, la bergerie ; depuis la guerre, il n'y entre plus un mouton. Le cavalier et les chevaux y font la sieste, l'endroit est sinon frais du moins calmant. Dès mon arrivée tout le monde se lève, Querelle s'approche de moi, balançant l'encolure. Dans un coin j'aperçois des débris de foin, des feuilles de maïs et même un vieux baquet à moitié rempli d'eau, j'avais raison de faire confiance au cavalier, il a su se débrouiller pour nourrir et abreuver les chevaux.

— Tout va bien ? Vous n'avez rencontré personne ?

— Et vous, Nina ? Ils sont partis ?

— Oui, oui, c'était comique.

Je donne aux chevaux les carottes que je leur ai apportées (Querelle les croque bruyamment, le poulain mordille dans ma paume les morceaux que je lui prépare) et puis je tends le pain et le lard. Ça, c'est pour vous. J'ai même pensé à des cigarettes. Papa a pris ma carte de tabac mais Akibou, mon protégé, me passe parfois un paquet sous la table, sous le préau du camp (C'est bon pour les rêves, dit-il avec son lent sourire.) Les chevaux mangent. Le cavalier mange et fume. Mes yeux vont de l'un aux autres, je me sens maternelle. Nous parlons, je raconte la retraite des Allemands, le retour du piano, le corbillard : il rit. Les angoisses de madame Dourthe et de tante Eva au sujet des prisonniers du camp : il hausse les épaules. Alors, je ne sais pourquoi, j'énumère les persécutions d'Eva, ses allusions continuelles, les croix gammées dans mon lit. Je dis elle nous soupçonne depuis le premier jour et, sans attendre sa réponse, je conclus :

— Si on lui disait la vérité, elle ne la croirait pas.

— Qu'est-ce que c'est, la vérité, Nina ?

— Vous ne la savez pas ?

— Je...

— Nous nous aimons.

Tout l'après-midi et encore la soirée et

la nuit, nous sommes comme soudés l'un à l'autre. Les chevaux marchent dans la bergerie, boivent, se couchent. Ailleurs, grouille le monde — la guerre, la fin de la guerre. L'obscurité lâche des ruisseaux de fraîcheur, nous ne parlons ni ne dormons, nous glissons sans bouger, jamais je n'ai senti la vie plus présente ni plus douce. Et puis, vers le petit matin, je trébuche dans un sommeil comme un couloir qui se resserre et m'enferme. Et m'écrase. Je vois ma mère. Elle ne sourit pas comme sur la jetée promenade de Biarritz, elle pleure. Et elle répète pauvre Nina, ma pauvre petite Nina. Derrière elle, dans un bruit de ventouse, marche l'homme aux *aougues*. Il s'arrête pile et me fait signe de le rejoindre. J'obéis. Au fur et à mesure que j'avance, les *aougues* se fauchent d'elles-mêmes, se transforment en boue. Je me rapproche de lui, l'assassin de mes nuits. Pour la première fois des traits habitent sa figure. Yeux rouillés, nez sans os, bouche gonflée, je reconnais Vincent Bouchard. Vincent Bouchard le clandestin, l'avantageux. Il n'est pas vêtu de blanc, son uniforme c'est un peu de tout et de n'importe quoi, des bottes d'égoutier, une tunique déchirée, un béret chaviré sur le front, à la landaise. A ses pieds, allongé dans la boue comme dans un lit, il y a Jean. Ses yeux bleus sont fixes et dilatés. Le sang dessine une végétation sur ses joues, ruisselle de son nez à sa bouche. Sa tunique est en loques. Je l'appelle. Son œil reste vide. Le sang continue de couler, les herbes rouges croissent, s'élargissent, bouillonnent de sa bouche à son cou. Mais lui ne bouge pas. Alors Vincent, avec l'accent de Bordeaux :

— Il l'a fait *euxprès.*

L'œil béant de Jean semble confirmer cette révélation. Vincent répète *euxprès* et il raconte comment ça s'est passé, il épluche, il passe au crible l'événement, il donne des détails, il raconte l'heure, le moment. Je n'entends pas, je ne vois que sa bouche comme une méduse. Qui se gonfle, se dégonfle, s'ouvre, se ferme, se tord, se mouille de salive à la commissure des lèvres. Puis se referme pour de bon : Vincent Bouchard se tait. Mais il ne sort pas du paysage, je vois, entre les *aougues,* ses bottes de caoutchouc, sa tunique déchirée et ce béret qui lui donne l'apparence d'un idiot de village. Jean, dans son lit de boue, est toujours immobile ; sur son visage figé, les ruisseaux de sang ne tarissent pas. Il est mort mais j'entends sa voix :

— Je t'avais bien dit que je n'attendrais pas trente-trois ans, moi.

Je tombe à côté de lui dans la boue, je m'accroche à ses épaules, je le secoue, je dis non, je ne veux pas, Jean, non, tu n'es pas mort, non, non. Il me semble que la boue ralentit mes gestes, peu à peu me paralyse, m'aspire. Je me débats. Le cavalier est penché sur moi, il me tient comme je tenais Jean, par les épaules. Qu'est-ce qu'il y a, Nina ? Vous avez rêvé ? De quoi ?

— Je ne sais pas.

— Vous avez crié.

Je me lève. Vite sortir, courir, retourner à Nara. Impossible de défriper ma robe.

— A tout à l'heure. Je vous confie les chevaux. Je ne les ramènerai pas à Nara aujourd'hui. Ma grand-mère prétend que les gens du pays ont faim. Le cheval, ça se mange.

— C'était ça votre rêve ?

— Non.

— Vous avez crié. Pourquoi ?

— Pour rien. A tout à l'heure.

Il voudrait me retenir. Ne partez pas, c'est moi qui ai peur maintenant. Je me moque de lui. Peur de quoi ? La guerre est finie, les guerriers sont partis en corbillard. Il a l'air malheureux. A tout à l'heure. L'aube est blanche et lourde comme un drap. Là-bas, la lande aux souches pourries, ici les *aougues*. Il me semble que j'aperçois Vincent Bouchard, il marche vers moi, j'entends distinctement le bruit de ventouse de ses bottes. Son pas. SON PAS. Et ces mots :

— Il l'a fait *euxprès*.

Je me mets à courir. Jean est mort, je le sais, j'en suis sûre, il est mort pendant que je dormais tranquillement entre mes chevaux et mon Allemand. Il l'a fait exprès, il disait la mort c'est gai, une cabriole. J'étais toujours indignée. Tu n'as pas honte ? La mort c'est un trou, un enlisement. Il s'est fait tuer. Exprès. Contre moi. Je l'oubliais, je travaillaïs à l'oublier, j'y étais parvenue, mon corps se passait de lui, il ne l'a pas voulu, il s'est vengé. Comme ça : deux soldats le bousculent à coups de crosses de fusil, il s'est laissé désarmer, il est blême mais transfiguré comme naguère sur le courant d'Huchet, il rêve que c'est la fin de sa nuit au jardin des Oliviers. Les soldats de Pilate, ce sont ces deux brutes vertes qui le secouent et le frappent en beuglant des insultes dans leur langue râpeuse. Jean est mort. C'est la première chose que j'apprendrai en arrivant à Nara. Dès la vallée du Fou, j'entendrai les clameurs d'Eva et, quand je passerai le seuil de la véranda, je les verrai toutes les deux cramponnées l'une à l'autre comme des écrevisses, les chaînes de Feuzojou balayant le visage de sa fille, leurs larmes mêlées. Et moi, je penserai à ce que Jean m'a dit, la veille de mon départ de Rauze : c'est moche, les femmes, ça coule de partout. Et ça se cramponne. De quoi est-il mort, mon père, tu crois ?

— Mais je ne sais pas. Comment veux-tu que je sache ?

— Il est mort exprès. Pour les fuir, ces deux raseuses : l'aïeule Feuzojou et la mère Abu.

— Qui t'a dit ça ?

— Moi. Je le sais, je te dis. Et si tu m'ennuies, je mourrai, tu entends ? je mourrai d'ennui.

Il m'avait dit je n'ai pas envie de choses effrayantes avec toi. Ça serait sale et bête. Il m'avait dit aussi :

— Tu deviens impure. C'est assommant l'impureté. Et banal.

— Banal ?

— Oui banal. Tu deviens banale, Nina.

Il avait décidé (ça datait de l'été précédent) que son corps ne lui plaisait pas et, quand il pensait à ce qui se passait sous sa peau, aux viscères, au travail du sang et des digestions, il grimaçait de dégoût. Il demandait pourquoi cinq sens ? un seul me suffirait, deux à la rigueur : l'ouïe pour écouter le merle et le nez pour respirer les magnolias. Il n'aimait pas que les saisons reviennent, surtout le printemps : tout ce vert c'est malsain, la couleur du pus. Exprès, il l'a fait exprès. Pour me tourmenter. Me *tourmonter,* comme il disait avec l'accent de Vincent Bouchard. Moi, ça m'aurait plu de le voir revenir en héros, j'aurais fini par applaudir à ses histoires, j'aurais dit raconte-moi encore quand. Et quand. Et quand. A chaque fois, un détail aurait changé, je m'en serais aperçue, j'aurais ri. Eh, dis donc, farceur, tu brodes. Il aurait ri avec moi. Sale bête, tu me coupes tous mes effets. J'aurais été fière qu'il me traitât de putain et qu'en place publique, à Nara, il me tondît. Mes cheveux seraient tombés comme des *aougues* mortes, je n'aurais pas protesté et même j'aurais dit merci. Il aurait crié putain, sale putain qui s'est tapé un boche pendant que je faisais la guerre. Et moi j'aurais murmuré, pour qu'il fût le seul à entendre :

— Tu es jaloux ? Hein ? Avoue que tu es jaloux...

Il disait les jaloux sentent fort, je les déteste. Il disait la peur aussi sent fort. Mais à Rauze, un jour, dans le cellier devenu champ de tir, il s'est mis de dos au mur, les bras en croix.

— Et si tu tirais sur moi, Nina ?

— Crétin. Même pour rire...

— Alors avec un poignard... Tu les lances si bien.

— Salaud. Avant tu disais que tu serais un noyé grognon.

— C'est vrai, je serais un noyé grognon, mais essaye seulement de me crever le cœur, j'aurais un de ces chics.

Il est mort. Il est débarrassé de tout ce qui

l'encombrait : de son corps, de la peur, des saisons, de sa mère, de sa grand'mère. De moi aussi peut-être. Et de Vincent Bouchard. Je suis persuadée qu'il ne pouvait plus le souffrir, ce grotesque. Deux ans de guerre, ça passe. Mais deux ans de guerre avec le fils Bouchard, sa sollicitude impérieuse, ses rodomontades, qui peut supporter ça ? A moins que. A moins. Dans ce cas, c'est de honte qu'il est mort, Jean. Il disait souvent : la honte, c'est le plus beau cadeau qu'on puisse faire à Dieu. Après il n'y a plus qu'à se flinguer. Il s'est laissé flinguer par un Allemand, par un vrai assassin ou seulement par un distrait. Je cours. Bientôt je serai à Nara. Je ne verrai personne, je les laisserai pleurer dans la véranda, Cracra et Feuzojou. Je ne veux pas rencontrer Vincent Bouchard et pourtant, je le sais, il m'a réclamée. Et la cousine, où est-elle ? Il veut me prévenir lui-même. Me torturer.

— Comment vous ne savez pas ? pour Jean ?

Il est arrivé comme un chien retriever habitué à rapporter le gibier tout sanglant dans sa bouche. Peut-être qu'il s'est fait offrir un verre de Tursan, ça aide, quand on veut raconter, le vin. Il brode, il invente. Les écrevisses se lamentent. Je me glisserai comme une ombre, je ne chercherai pas mon père, il ne risque plus rien : le visage ensanglanté de mes songes, ce n'était pas le sien. J'irai droit à ma chambre et, calmement, aussi calmement que possible, je fendrai d'un coup de couteau la toile du matelas. Je cueillerai le pistolet dans son nid de laine, je l'armerai. Le ciel sera lourd, d'un gris d'acier, je retournerai à Pignon Blanc sans courir. Et je tuerai le cavalier. Pourvu que, cette fois, Querelle ne sache pas le sauver.

ONESSE — PARIS
Janvier 1967 — Janvier 1968.

TABLE DES MATIÈRES

L'IMPRIMERIE HÉRISSEY
A ÉVREUX (EURE)
A IMPRIMÉ CET OUVRAGE
EN MARS 1968

Dépôt légal : 1re trimestre 1968
N° d'éditeur : 3011
N° d'imprimeur : 4261
Imprimé en France